LA MÉTHODE QUALITEMPS

pour gérer efficacement son temps

Catalogage avant publication de Bibliothèque et Archives nationales du Québec et Bibliothèque et Archives Canada

Comtois, René-Louis

La méthode Qualitemps pour gérer efficacement son temps
(Collection Affaires)
ISBN 978-2-7640-2463-8

1. Budgets temps. I. Titre. II. Collection: Collection Affaires (Éditions Québec-Livres).

HD69.T54C652 2015 650.1'1 C2015-940509-3

Groupe Librex inc.
Une société de Québecor Média
1055, boul. René-Lévesque Est, bureau 201
Montréal (Québec) H2L 4S5
Tél.: 514 270-1746

Dépôt légal: 2015
Bibliothèque et Archives nationales du Québec

Pour en savoir davantage sur nos publications,
visitez notre site : **www.quebec-livres.com**

Éditeur: Jacques Simard
Conception de la couverture: Bernard Langlois
Illustration de la couverture: Shutterstock
Conception graphique : Sandra Laforest
Infographie: Claude Bergeron

Imprimé au Canada

Gouvernement du Québec – Programme de crédit d'impôt pour l'édition de livres – Gestion SODEC.

L'Éditeur bénéficie du soutien de la Société de développement des entreprises culturelles du Québec pour son programme d'édition.

Nous reconnaissons l'aide financière du gouvernement du Canada par l'entremise du Fonds du livre du Canada pour nos activités d'édition.

DISTRIBUTEURS EXCLUSIFS:

- Pour le Canada et les États-Unis:
  MESSAGERIES ADP*
  2315, rue de la Province
  Longueuil (Québec) J4G 1G4
  Tél.: 450 640-1237
  Télécopieur: 450 674-6237
  * une division du Groupe Sogides inc., filiale du Groupe Livre Québecor Média inc.

- Pour la France et les autres pays:
  INTERFORUM editis
  Immeuble Paryseine, 3, Allée de la Seine
  94854 Ivry CEDEX
  Tél.: 33 (0) 4 49 59 11 56/91
  Télécopieur: 33 (0) 1 49 59 11 33

  Service commande France métropolitaine
  Tél.: 33 (0) 2 38 32 71 00
  Télécopieur: 33 (0) 2 38 32 71 28
  Internet: www.interforum.fr

  Service commandes Export – DOM-TOM
  Télécopieur: 33 (0) 2 38 32 78 86
  Internet: www.interforum.fr
  Courriel: cdes-export@interforum.fr

- Pour la Suisse:
  INTERFORUM editis SUISSE
  Case postale 69 – CH 1701 Fribourg – Suisse
  Tél.: 41 (0) 26 460 80 60
  Télécopieur: 41 (0) 26 460 80 68
  Internet: www.interforumsuisse.ch
  Courriel: office@interforumsuisse.ch

  Distributeur: OLF S.A.
  ZI. 3, Corminboeuf
  Case postale 1061 – CH 1701 Fribourg – Suisse

  Commandes: Tél.: 41 (0) 26 467 53 33
  Télécopieur: 41 (0) 26 467 54 66
  Internet: www.olf.ch
  Courriel: information@olf.ch

- Pour la Belgique et le Luxembourg:
  INTERFORUM BENELUX S.A.
  Fond Jean-Pâques, 6
  B-1348 Louvain-La-Neuve
  Tél.: 00 32 10 42 03 20
  Télécopieur: 00 32 10 41 20 24

RENÉ-LOUIS COMTOIS

LA MÉTHODE QUALITEMPS

pour gérer efficacement son temps

À propos de l'auteur

René-Louis Comtois donne des formations en gestion du temps, gestion de projets, gestion documentaire, lecture rapide, service à la clientèle et organisation du travail. Son entreprise regroupe une équipe de plus de vingt formateurs et a développé plus d'une soixantaine de formations dont les thèmes correspondent aux grands enjeux des organisations au 21e siècle.

Son objectif est d'apporter à tous les participants qui suivent ses formations ou celles de son entreprise des méthodes de gestion et des connaissances techniques leur permettant de développer leurs habiletés professionnelles et d'atteindre un niveau de compétence supérieur dans des champs d'action dont la maîtrise est devenue essentielle de nos jours. Les méthodes qu'il préconise sont efficaces et éprouvées. C'est là où se situe son engagement.

René-Louis Comtois a écrit *Gérer efficacement son temps, Lecture rapide, mythes et réalité, Gérer et animer ses réunions, Maximisez vos ventes en maîtrisant votre temps, Bien servir ses clients* ainsi que Gérez vos courriels avant qu'ils vous gèrent, tous publiés aux Éditions Québecor. Il dirige Formations Qualitemps, une entreprise de formation spécialisée en gestion du temps et en efficience au travail.

Vous pouvez le joindre à l'adresse suivante :
rlcomtois@formationsqualitemps.ca

Remerciements

J'aimerais remercier tous ceux et celles qui ont suivi mes formations et qui m'ont nourri de leurs réflexions et de leurs expériences pendant toutes ces années. Des remerciements particuliers aux formatrices et aux formateurs de l'équipe de Formations Qualitemps qui ont contribué, au cours des années, à enrichir le contenu de la formation en gestion du temps.

Enfin, j'aimerais remercier Michel Durand, rédacteur professionnel, dont le soutien, les recherches et la participation à la rédaction de ce manuscrit m'ont permis de mener à bien cette entreprise.

Présentation

Le temps est la ressource la plus précieuse,
et ce n'est qu'en gérant efficacement
le temps que l'on peut manager toute
l'activité d'une entreprise.

Peter Drucker

Bien que je traite de gestion du temps depuis plus de vingt ans, le sujet me passionne toujours ! Durant toutes ces années, j'ai raffiné et épuré ma méthode. Et puis, pendant cette période, les outils ont changé et se sont multipliés. Sauf qu'ils n'ont pas résolu tous les problèmes et en ont parfois créé des nouveaux. Je veux donc partager avec vous le fruit de toutes ces années de recherche et de réflexions.

Aujourd'hui, j'ai le sentiment d'être allé complètement au fond des choses et de pouvoir offrir une méthode unique, simple, efficace et facile à appliquer. Si, comme plusieurs, vous avez souvent le sentiment d'être submergé par les imprévus et les interruptions, de ne pas pouvoir vous acquitter des tâches que vous devez accomplir, d'avoir du mal à vous consacrer aux activités qui comptent le plus, de voir des courriels s'accumuler sans cesse dans votre boîte de réception, bref de crouler sous la charge de travail, je vous assure qu'en lisant cet ouvrage vous trouverez des solutions concrètes que vous pourrez appliquer afin d'améliorer la situation.

Cette lecture vous sera grandement profitable, tant en ce qui concerne le respect de vos priorités que le sentiment d'accomplissement personnel qui en résultera.

La gestion du temps est une compétence transversale dont la maîtrise est un prérequis à toute autre forme d'amélioration et dont la pratique s'appuie sur une série d'habiletés bien spécifiques.

La gestion du temps est composée de deux grandes dimensions :

1. *Bien faire les choses*, c'est-à-dire avoir de bonnes méthodes et utiliser adéquatement les outils de gestion du temps ;
2. *Faire la bonne chose*, sans doute la plus importante, qui consiste à faire les bons choix, à bien prioriser.

Une caractéristique de ma méthode, que j'appelle la méthode Qualitemps, est qu'elle définit la gestion du temps comme un processus clair et concret.

Ainsi, les outils de gestion du temps, quels qu'ils soient, doivent être mis au service du processus de gestion du temps, et non l'inverse. Ils peuvent vous aider à *bien* faire les choses. Par contre, la méthode elle-même repose sur l'individu, car les outils ne peuvent absolument pas aider à faire les *bonnes* choses. Ce dernier aspect, « faire les *bonnes* choses », est le plus fondamental. C'est l'art de prioriser, qui suppose de la réflexion pour bien répondre à des questions comme celles-ci :

- Qu'est-ce qui compte le plus pour mon organisation ?
- Qu'est-ce qui compte le plus pour moi ?
- Est-ce que je leur accorde tout le temps voulu ?

L'intérêt de ce questionnement est qu'il ne s'arrête jamais puisque les priorités de l'organisation et les nôtres évolueront sans cesse.

Bien que l'art de prioriser soit le plus important dans mes cours et dans ce livre, je traite de cet aspect *après* avoir exposé les bonnes méthodes pour maîtriser les outils de travail. Pourquoi ? Simplement parce que l'acquisition de bonnes méthodes de travail apporte des résultats très rapides et faciles à mesurer. Vous prendrez ainsi conscience que vous *pouvez* davantage maîtriser votre temps. En économisant du temps dès le début, vous envisagerez plus facilement de réfléchir aux questions profondes et larges des priorités.

Dans la première partie, j'expliquerai le processus de gestion du temps que je propose et la façon de le mettre en œuvre. Comme bien des gens qui décident d'entreprendre ou d'approfondir une démarche en gestion du temps, vous vous demandez sans doute comment procéder et par où commencer. J'ai l'habitude de ce genre d'interrogations. Lorsque je donne des formations, j'entends très souvent :

J'ai des centaines de courriels dans ma boîte de réception, des piles de dossiers papier sur ma table de travail, des centaines de dossiers informatiques en cours ou terminés, des appels à retourner, des mémos, des cahiers de notes où les tâches biffées et les tâches à faire s'entremêlent, des listes, sans compter tout ce que j'ai dans ma tête parce que je ne l'ai pas écrit ! Je devrai probablement consacrer des heures et des heures à en faire le tour et je manque déjà de temps !

Par où commencer ?

La méthode que je vous propose est en fait très facile à mettre en application et j'exposerai clairement et concrètement comment y arriver.

Vous verrez dans cette première partie comment prendre le contrôle de vos activités, comment bien gérer toutes vos tâches et tous vos projets en centralisant tout en un seul outil de travail et selon certains principes. Cela vous permettra notamment d'être certain de ne jamais oublier quoi que ce soit sans pour autant devoir réviser constamment ou très fréquemment tout ce que vous avez en cours.

Dans la deuxième partie, vous trouverez toutes les techniques grâce auxquelles vous maximiserez l'utilisation de votre temps, serez plus efficace et gérerez mieux le stress relié à l'impression de toujours manquer de temps. Ce sont des gestes-clés ou des habiletés dont la mise en œuvre vous permettra de mieux gérer les imprévus, d'améliorer votre organisation, de mieux gérer les courriels, de mieux contrôler les interruptions, de réviser vos méthodes de travail, etc.

Enfin, dans la troisième partie, j'aborderai la question des priorités ou comment « faire les *bonnes* choses ». Cette dernière section engagera une réflexion qui fera en sorte que **l'urgent** aura dorénavant moins d'emprise sur votre vie pour céder la place à **l'important**, ce qui compte le plus.

La plupart des chapitres sont courts et vont à l'essentiel. À partir du chapitre 8, *La méthode Qualitemps en détail*, j'ai placé à la fin de chacun une liste de conseils qui résument la théorie et vous indiquent la marche à suivre pour passer de la théorie à la pratique.

Vous trouverez tout au long du livre plusieurs citations inspirantes sur le temps et la vie. J'espère que vous y verrez une source d'inspiration ou de motivation. Je souhaite aussi que ce livre devienne votre outil de référence et que vous ayez du plaisir à revenir le consulter. Il me reste à vous souhaiter bonne lecture et bonne gestion de votre précieux temps ! Comme le disait Jean-Louis Servan-Schreiber :

> LE PLUS GRAND SYNONYME DU MOT TEMPS,
> C'EST LE MOT VIE.

PREMIÈRE PARTIE

Le processus de gestion du temps

1

Une triste histoire de gestion du temps

La folie, c'est se comporter de la même manière et s'attendre à un résultat différent.

Albert Einstein

Voici le résumé d'une journée dans la vie de Sylvain, journée qui n'a probablement rien d'exceptionnel, comme vous pourrez le voir.

***

Sylvain arrive tôt au bureau, bien déterminé à faire un succès de sa journée. Il doit rédiger un court rapport pour un client avant la fin de la journée. Il veut aussi commencer à travailler sur le dossier ATG, un projet de développement qui lui tient à cœur et qu'il a dû mettre de côté ces derniers temps. La veille, il a d'ailleurs laissé sur son bureau le dossier ATG puisqu'il sera LA priorité de sa journée.

Avant de s'y attaquer, il consulte tout de même sa boîte de réception de courriels et constate qu'il a déjà reçu une vingtaine de nouveaux messages. Puisqu'il peut répondre à quatre ou cinq de ces messages en quelques minutes, il le fait. Il en supprime certains, active une alerte sur trois d'entre eux afin de se souvenir de les traiter plus tard et laisse les autres dans la boîte de réception afin de pouvoir les consulter au besoin. Pour l'instant, sa grande priorité est le dossier ATG. Avant de se pencher sur ce dossier, il écoute les messages contenus dans sa boîte vocale. Elle en contient cinq, qu'il prend en note. Il aimerait retourner deux de ces appels au cours de la matinée, mais c'est tout de même son dossier ATG qui est la priorité. Pour être bien certain de ne pas être dérangé, il demande que l'on prenne ses appels et s'attaque à son dossier.

En l'ouvrant, il constate qu'il lui manque des informations. En cherchant celles-ci dans son classeur, il tombe sur un autre dossier auquel il ne pensait plus, mais qui l'intéresse. Il le prend et commence à le feuilleter. Ce dossier contient décidément de bonnes idées ! Mais ne voulant pas perdre de vue son objectif, Sylvain le replace au bout de 15 minutes et retourne au dossier ATG. Non seulement devra-t-il faire quelques recherches pour rassembler des informations manquantes, mais il est plus complexe que prévu.

Un collègue entre alors dans son bureau pour le consulter à propos du dossier d'un client. Sachant qu'il ne peut régler l'affaire en quelques minutes, Sylvain propose à son collègue de le voir dans l'après-midi. Après le départ de ce dernier, il regarde l'heure : déjà 10 heures ! Un bon café serait le bienvenu !

Sylvain part chercher un café et, de retour à son bureau, va voir ses nouveaux messages. Il a, au cours de la dernière demi-heure, reçu plusieurs alertes auxquelles il a résisté jusqu'ici. Il répond à deux messages et juge que les autres peuvent attendre. Par contre, l'un de ces courriels concerne un client important. Il transfère le courriel à Sarah, sa collègue, afin qu'elle s'en occupe, mais décide qu'il serait préférable d'en discuter aussi avec elle afin de déterminer ensemble la meilleure stratégie à adopter. Il se dirige donc vers le bureau de Sarah qui parle au téléphone, mais elle lui fait signe d'entrer, car elle n'en a pas pour longtemps. Une fois l'appel terminé, Sarah et Sylvain discutent rapidement de la meilleure approche à adopter afin de bien répondre à la demande du client et Sarah promet à Sylvain qu'elle s'en occupera très rapidement. Sylvain retourne à son bureau. Déjà 10 heures 30 ! Il reprend le dossier ATG et commence à prendre des notes.

Vers 11 heures, une enveloppe arrive par messager. On la lui apporte puisqu'elle contient un contrat à approuver. Sylvain vérifie le texte.

Une clause ne lui convient pas. Il décide donc d'aller tout de suite voir Pierre, le responsable des achats, pour lui demander son avis. Il entre dans le bureau de Pierre, son enveloppe sous le bras. *J'aimerais te consulter à propos du contrat que je viens de recevoir*, dit-il. *Ça tombe mal*, lui répond Pierre, *j'allais téléphoner à un fournisseur, on vient de recevoir une grosse plainte d'un client important*. Sylvain demande tout de même à Pierre quelques explications et quitte le bureau de ce dernier en lui demandant de venir le voir le lendemain en début de journée. Aujourd'hui, je dois me concentrer sur le dossier ATG. Je remets toujours ça ! pense-t-il.

En revenant à son bureau, il passe près de celui de Lyne et un flash surgit dans sa pensée : il faudrait vérifier où elle en est avec l'offre de service qu'il lui a déléguée avant-hier. *Justement*, lui dit-elle, *tu tombes bien parce que je voulais te demander si tu avais un modèle sous la main qui m'aiderait dans la présentation*. Sylvain promet de lui envoyer un modèle au cours de l'après-midi. Il pense alors au court rapport pour un client qu'il doit compléter aujourd'hui. J'étais en train de l'oublier, celui-là ! Un sentiment de panique le traverse.

De retour à son bureau, Sylvain pose le contrat sur sa table de travail et se demande comment employer au mieux la quinzaine de minutes qui restent avant le lunch. Sa réflexion est interrompue quand on lui passe un appel. Il avait demandé à ne pas être dérangé, mais c'est un très gros client et la personne qui prend ses appels sait très bien qu'il aurait préféré qu'on le lui transfère. Il discute donc avec ce client et constate que l'appel n'avait rien d'urgent. Pire, le client ne semble pas du tout pressé de mettre fin à l'appel. Sylvain parle donc distraitement avec le client tout en consultant les derniers courriels qu'il a reçus. Il lui faut un repas réconfortant ! Quand il peut enfin raccrocher, il part à la hâte pour le lunch.

Sylvain prend à la réception les messages téléphoniques qu'il a reçus pendant la matinée quand il revient du bureau. Il regarde les messages qui viennent de lui être transmis et s'aperçoit qu'il a reçu un appel d'un important client potentiel et se dit qu'il aurait dû donner de meilleures consignes. Il le rappelle aussitôt, mais l'adjointe de ce dernier l'informe que son patron vient de partir en voyage d'affaires et qu'il ne sera pas de retour avant trois jours. Déçu, Sylvain note la date de retour dans son cahier pour ne pas l'oublier.

Puis, il tente de se remettre à travailler sur le dossier ATG. Après quelques instants, il le referme, faute d'énergie. Il décide alors de rédiger à la hâte le rapport qu'il doit préparer aujourd'hui et l'envoie. Ça fera l'affaire ! se dit-il. Et voilà, il est presque 15 heures, le temps de la pause-café.

De retour de celle-ci, Sylvain réalise que la journée tire à sa fin. Il se dit qu'il serait sans doute plus productif de retourner ses appels et de répondre à ses courriels. Il replace le dossier ATG bien en vue pour être certain de ne pas l'oublier. À 17 heures, il quitte le bureau, fatigué et peu satisfait de sa journée.

***

Oui, je sais, cette journée semble un peu caricaturale. Mais soyez sincère : certaines de vos journées n'y ressemblent-elles pas un peu sous certains aspects ? En fait, cette courte histoire pourrait s'intituler *Une journée de travail au 21e siècle.*

J'aime bien commencer par un mauvais exemple. Ce livre pourrait aussi s'appeler *Tout ce qu'il faut faire pour que vos journées ne ressemblent pas à celles de Sylvain.*

2

Une meilleure histoire de gestion du temps

Avoir du temps, c'est posséder le bien le plus précieux pour celui qui aspire à de grandes choses.

Plutarque

Même si le temps semble avoir accéléré au fil des dernières décennies, les principes qui sous-tendent une bonne gestion du temps n'ont pas changé. Bien sûr, l'évolution des outils et l'accélération des communications font qu'il est maintenant plus difficile de gérer efficacement notre temps. Le défi est plus grand, mais il peut être relevé à l'aide des mêmes principes qu'auparavant.

Voici une petite histoire de gestion du temps qui illustrera très bien mon propos. Elle se déroule il y a plus de trente ans, bien avant l'avènement d'Outlook. Cette histoire respecte néanmoins la gestion du cycle de vie d'une tâche ainsi que la variété de celles que nous devons gérer aujourd'hui. Tout au long de l'histoire, ne pensez pas à votre propre outil de gestion du temps. Je veux dégager quelques grands principes qui ne dépendent pas de l'outil qui est employé.

À la fin du récit, j'énumérerai ces principes essentiels qui font que Nicole, l'héroïne, gérait bien son temps. Vous pourrez ensuite réaliser votre autodiagnostic en vous reportant à ces grands principes.

Nous sommes en 1981 et Nicole était l'une des trois actionnaires d'une petite entreprise spécialisée en gestion de projets dans le domaine immobilier. En plus d'être responsable de certaines tâches administratives, elle était également chargée de projet pour les comptes majeurs.

Dans son entreprise, Nicole était surnommée « Madame Agenda » parce que ses collègues la voyaient rarement sans celui-ci. Elle utilisait l'un de ces immenses agendas qui présentaient une journée par page. La section de gauche de la page était dédiée aux rendez-vous, tandis que celle de droite servait à noter les tâches à faire dans la journée, celles qu'elle avait planifiées.

Avant de décrire le déroulement d'une journée typique de la vie professionnelle de Nicole, il faut noter un détail important. Au début des années 1980, Nicole était âgée d'une cinquantaine d'années. Elle faisait donc partie de cette génération qui avait tendance à travailler un grand nombre d'heures. Plusieurs patrons de cette génération étaient d'ailleurs portés à évaluer leurs employés d'après le nombre d'heures qu'ils consacraient au travail.

Nicole, elle, ne faisait que très rarement des heures supplémentaires. À l'occasion, peut-être, pour préparer une grosse présentation, mais sans plus. Elle avait aussi une vie personnelle très active et de nombreuses passions, dont sa famille. Rien de tout cela ne l'empêchait d'être une ressource très efficace. Elle gérait un grand nombre de dossiers et semblait toujours en mesure d'en accepter d'autres. Le dicton « Si tu veux qu'un travail soit fait, confie-le à une personne très occupée » lui allait comme un gant !

Comment y parvenait-elle ?

Le matin, en commençant sa journée de travail, elle ouvrait son agenda à la page du jour. Que consignait-elle dans son agenda ? Tout, absolument tout. Tout ce qu'elle devait faire dans la journée y était inscrit. Le reste de ses tâches, tout ce qui ne devait pas être fait ce jour-là, était inscrit sur une autre page. Et quand une tâche était finie, elle la biffait et en commençait une autre. Quand Nicole nous demandait d'accomplir une tâche et qu'elle jugeait qu'il serait pertinent de faire un suivi, elle l'inscrivait immédiatement à la date prévue.

Que faut-il en retenir? Nicole n'avait qu'un outil pour gérer son temps. Elle avait donc une confiance absolue en son outil et elle était certaine de ne rien oublier. Elle raccourcissait ainsi son temps de prise de décision tout au long de la journée. Saviez-vous qu'aujourd'hui, dans les bureaux, les gens consacrent jusqu'à une heure par jour simplement pour décider quelle sera leur prochaine action? Cette perte de temps est causée par la diversité de leurs outils de travail.

La journée de Nicole se déroulait en établissant des priorités parmi les tâches qu'elle avait planifiées pour la journée et non parmi toutes les tâches en cours.

Nicole évoluait dans un milieu où les imprévus et les interruptions étaient courants. Malgré tout, elle ne souffrait pas du syndrome de l'action immédiate, cette maladie qui consiste à tout exécuter sur-le-champ. Comment s'y prenait-elle pour gérer tout cela? Quelle que soit la source de la nouvelle demande, il était rare que Nicole interrompe la tâche en cours pour répondre à cette nouvelle demande. Pour prendre en charge les éléments nouveaux, elle utilisait un autre outil, fort simple, mais indispensable : le bon vieux cahier de notes. Son cahier était son « stationnement » : elle y notait tout ce qui demandait une future action de sa part.

Elle y consignait les nouveautés, les imprévus et les nouvelles idées intéressantes qui se présentaient pour ne rien oublier. Elle n'inscrivait pas ces informations directement dans son agenda et ne les planifiait pas tout de suite. Il y a deux raisons à cela.

Premièrement, il y a de bonnes chances pour que ces tâches soient exécutées dans la journée. Ce n'est pas parce que ce n'est pas fait tout de suite que ce ne sera pas fait aujourd'hui. Seulement, il sera toujours plus efficace de rester concentré sur la tâche en cours et de ne pas succomber à la tentation de traiter toutes les petites demandes sur-le-champ.

Deuxièmement, parce qu'il est plus efficace de planifier une seule fois dans la journée. Imaginez que pour chaque nouvelle action à planifier vous soyez obligé de consulter votre agenda, de valider la faisabilité de la tâche à exécuter en fonction des autres tâches déjà planifiées et de rééquilibrer celles-ci au besoin. Autant le faire une seule fois : la planification est une activité à regrouper.

Utilisez-vous un cahier de notes ou un outil semblable pour noter les éléments nouveaux qui surviennent ? Vous avez probablement répondu « oui ». Mais dans les faits, la plupart des gens traitent immédiatement la plus grande partie de ce qui se présente. La prise de notes ne concerne que 30 à 50 % des éléments nouveaux.

De son côté, Nicole avait le choix entre deux sources de tâches quand elle en avait terminé une : son agenda ou son cahier de notes. Il lui était donc très facile de garder le cap et de se consacrer à l'essentiel.

Grâce à cette méthode, Nicole était assurée d'avoir accompli la majorité des tâches qu'elle avait planifiées.

À la fin de la journée, Nicole prenait quelques minutes, c'était un rituel, afin de planifier de nouveau les quelques tâches qui figuraient sur sa page d'agenda du jour et qu'elle n'avait pu accomplir pour une quelconque raison. Elle les réinscrivait donc à la nouvelle date prévue pour leur exécution. Ensuite, elle inscrivait à des dates précises les nouvelles tâches qui s'étaient présentées et qu'elle n'avait pas réalisées en les biffant au fur et à mesure de son cahier de notes, de son *stationnement*. Nicole n'accumulait pas de notes et n'avait pas besoin de retourner quelques pages en arrière pour voir ce qui n'avait pas encore été fait et y trouver des tâches à exécuter.

C'est l'un des grands principes de la méthode de Nicole : le cahier de notes ou un outil similaire doit réellement être vu et utilisé comme un « stationnement temporaire ». Il ne doit pas être nécessaire de s'y reporter les jours suivants pour y (re)trouver une tâche à accomplir ou qui aurait dû l'être. Cette dernière activité de la journée consistait donc à *entretenir* sa planification, à la mettre à jour rapidement.

Le lendemain, Nicole entamait la journée en ouvrant son agenda à la page du jour et en commençant avec une page vide dans son cahier de notes.

Que retenir de cette histoire ?

Voici, à mon avis, un processus de gestion du temps bien exécuté. Je ne suis pas en train de vous dire de retourner aux agendas papier. Les agendas électroniques tels Outlook et Lotus sont bien plus efficaces s'ils sont bien configurés et utilisés. Par contre, les principes que Nicole appliquait demeurent valides.

Passons donc en revue les éléments-clés de la méthode de Nicole. Profitez-en pour faire votre autodiagnostic en toute objectivité. Demandez-vous aussi si vous gagneriez à appliquer ces différents principes, quels que soient les outils que vous utilisez.

1. Nicole avait une vie équilibrée et connaissait bien ses priorités.

   Avez-vous un bon équilibre vie personnelle/travail ?

2. Nicole n'utilisait qu'un seul outil de gestion du temps. Ce qui signifie qu'elle ne devait consulter au quotidien aucune autre source de tâches : pas d'autres listes ailleurs, de post-it, de dossiers de projets, de piles (aujourd'hui, il faudrait ajouter les courriels des jours précédents).

   Utilisez-vous un seul outil de gestion du temps ?

3. Nicole planifiait toutes ses tâches en les consignant à la bonne date. Tout ce qui pouvait être formulé en commençant par un mot d'action comme « faire » était planifié et assigné à une date précise. C'est ainsi qu'elle évitait de manipuler inutilement ses tâches.

   Planifiez-vous toutes vos tâches ?

4. Nicole était proactive. Elle n'attendait pas qu'une décision ou un travail vienne à elle. Elle faisait les suivis nécessaires et ceux-ci étaient planifiés dans son agenda.

   Avez-vous le sentiment d'être proactif ?

5. Nicole terminait presque toujours l'action en cours pour éviter l'éparpillement qui occasionne une grande perte de productivité.

   Terminez-vous presque toujours l'action que vous avez entreprise ?

6. Nicole n'oubliait jamais rien. Pour plusieurs, c'est un objectif inatteignable. Il est pourtant si simple à atteindre. Elle « stationnait » dans son cahier de notes tout ce qui représentait une action future. Si cette nouvelle tâche n'avait pas été exécutée à la fin de la journée, elle la planifiait. Comment pouvait-elle oublier quelque chose avec cette méthode ?

   Avez-vous le sentiment de ne jamais rien oublier ?

7. Nicole priorisait efficacement ses tâches. Elle ne réalisait pas nécessairement toutes les tâches qu'elle avait planifiées, mais grâce à son plan de journée complet et réaliste, elle pouvait plus facilement cerner ses priorités. Elle s'était aussi assurée, en planifiant ses journées, d'inscrire à son agenda un nombre suffisant de tâches à haut rendement, c'est-à-dire des activités liées à votre rôle fondamental au sein de l'organisation, celles qui vous permettent d'atteindre vos objectifs et vous donnent un réel sentiment d'accomplissement lorsque vous les avez réalisées.

   Avez-vous le sentiment d'exécuter chaque jour un nombre suffisant d'activités à haut rendement ?

8. Tous les jours, en finissant sa journée, Nicole mettait à jour sa planification. Autrement dit, elle s'accordait du temps pour planifier son emploi du temps.

   Accordez-vous suffisamment de temps au temps ?

Si vous avez répondu « non » à plusieurs des questions, je vous garantis qu'en mettant en application les méthodes que je suggère dans les pages suivantes vous pourrez sous peu répondre « oui » à la majorité d'entre elles. Vous en retirerez des bénéfices substantiels !

Nous avons vu plus haut deux histoires de la gestion du temps, une mauvaise et une bonne. Quelle approche préférez-vous ? Tout ce qu'il ne faut pas faire ou tout ce qu'il faut faire ? Personnellement, je préfère la deuxième : c'est une approche positive axée davantage sur des actions concrètes plutôt que sur des constats. Comment mettre tous ces principes en application dans le contexte du 21e siècle ? C'est l'approche de ce livre.

Que faut-il aussi retenir de ces deux histoires ? Outre la désorganisation de Sylvain et l'organisation exemplaire de Nicole, je vous suggère que le point le plus important est celui de la satisfaction et du bien-être. Sylvain a terminé sa journée frustré et stressé. Nicole terminait ses journées satisfaite du travail accompli. Sa vie hors du travail n'était pas minée par les préoccupations et les frustrations liées au bureau.

Avez-vous le sentiment de ne pas avoir le choix et de ne pouvoir rien changer à votre situation ? Or, l'absence de choix est un choix. Si vous choisissez de ne pas implanter une solide méthode de gestion de votre temps au travail, vous choisissez d'en subir les inconvénients. Je suis persuadé que ce n'est pas ce que vous souhaitez, même si en ce moment vous vous demandez peut-être comment vous pourriez bien parvenir à une maîtrise de votre temps similaire à celle de Nicole. C'est pourtant un objectif très réalisable !

3

Le rôle des attitudes

On ne se débarrasse pas d'une habitude en la flanquant par la fenêtre ; il faut lui faire descendre l'escalier marche par marche.

Mark Twain

Quand il est question de gestion du temps, il est difficile de passer sous silence le sujet des attitudes. En effet, notre relation au temps et l'usage que nous en faisons sont intimement reliés. Certaines attitudes nuisent à une saine gestion du temps. Voici quelques exemples :

- Avoir tendance à dire « oui » à tout ;
- Tout remettre à plus tard ;
- Être perfectionniste ;
- Aimer travailler sous l'effet de l'adrénaline ;
- Être réfractaire à la planification ;
- Être accro aux interruptions et aux alertes ;
- Être un bourreau de travail.

Une bonne gestion du temps repose-t-elle davantage sur de bonnes attitudes ou sur des techniques bien maîtrisées ? Évidemment, c'est un mélange des deux, mais lequel vient en premier ? Attitudes ou techniques ?

Quand je pose la question pendant un cours, la majorité des participants répondent : les *attitudes* ! C'est vrai que les attitudes ont une importance fondamentale, mais les changer peut prendre des années d'introspection et d'efforts. Heureusement, l'acquisition de nouvelles techniques ou leur amélioration est, elle, beaucoup plus rapide.

Ce livre est donc résolument axé sur des méthodes très précises qui produiront rapidement des résultats. Néanmoins, je vous suggère de toujours garder en tête cette question des *attitudes*, car presque chaque chapitre pourrait aussi être abordé sous cet angle.

Toutefois, si je devais suggérer **une** attitude que vous devriez développer en priorité en gestion du temps, il s'agirait de développer l'**aversion à perdre votre temps**.

4

Le rendement sur votre investissement

Le secret de la fortune,
c'est l'organisation du temps.

Tom Hopkins

Soyons pragmatiques : vous entreprenez une démarche en gestion du temps dans le but d'économiser du temps. À combien de temps pouvez-vous vous attendre ?

Essayons donc de le quantifier et de tenter d'en faire un objectif. Dans mon cours, je demande aux participants d'estimer de façon réaliste combien de temps ils pourraient économiser grâce à la formation. La majorité vise une économie de 30 minutes. Or, mon expérience montre que dans un bureau, on peut généralement s'attendre à économiser au moins une heure par jour. Contrairement à une usine, le bureau est un environnement de travail plus abstrait, mais la révision des méthodes peut y rapporter autant.

> ÉCONOMISER UNE HEURE, VOIRE UNE HEURE ET DEMIE ET PLUS PAR JOUR, EST UN OBJECTIF PLUS RÉALISTE QUE L'ON PENSE.

Afin de vous inciter à investir le temps requis pour y parvenir, voici un tableau très inspirant.

Si vous économisez chaque jour	**Vous pourriez gagner annuellement**
5 minutes...	3 jours
15 minutes...	9 jours
30 minutes...	18 jours
1 heure...	36 jours

Vous pourrez aussi utiliser ce tableau quand vous choisirez des processus ou des outils de travail à améliorer. Choisissez d'abord celles qui rapporteront le plus avec un investissement de temps minimal.

5

Quelle est votre charge de travail ?

Travail bien réparti ne tue pas.

Proverbe français

Combien de tâches en cours avez-vous *réellement*?

La question vous étonne peut-être, mais elle prend tout son sens quand on considère que le travail de la plupart des gens de bureau consiste à exécuter diverses tâches qui proviennent de différentes sources et dont les échéances sont diverses.

Quand je pose cette question à brûle-pourpoint durant mes formations, les participants me répondent généralement 20 tâches, peut-être 30. Arrivez-vous à une évaluation similaire ?

Pourtant, si vous additionniez toutes les tâches reliées à votre charge de travail, celles qui sont dans les paniers, les piles, la boîte de réception, les mémos et les post-it, dans les dossiers de projets, dans les listes diverses, les cahiers de notes et l'agenda (papier ou électronique), vous verriez vite qu'il y en a beaucoup plus que 30 ! En fait, la majorité des gens ont entre 100 et 300 tâches en cours...

Vous en doutez ? D'accord. Commençons par la définition du mot *tâche*. La définition du *Petit Robert* est : « un travail à accomplir ». Ainsi, un appel téléphonique, une conférence, la rédaction d'une courte note, la rédaction d'un rapport, le paiement d'une facture, la lecture d'un courriel, un suivi à effectuer et bien d'autres choses sont toutes des actions qui correspondent à la définition de *tâche*. Chaque projet comprend aussi son propre ensemble de tâches que sont les livrables, grands et petits.

Dans le but d'évaluer sommairement toutes les tâches que vous devez accomplir, je vous demande de vous livrer au calcul suivant. Prenez une feuille de papier et un crayon, et allez-y intuitivement : le but n'est pas d'être précis, mais d'établir un ordre de grandeur réaliste. Il s'agit de prendre conscience de la réalité qui est la vôtre en ce 21e siècle. Faites le total de tous les éléments suivants :

Tous les éléments contenus dans votre cahier de notes ou vos listes à cocher	
Tous vos post-it	
Tous les courriels de votre boîte de réception qui comportent des actions à poser (suivis ou autres)	
Tous vos projets en cours	
Toutes les sous-tâches reliées à ces projets en cours	
Tous vos projets d'amélioration et de développement	
Toutes les sous-tâches reliées à ces projets d'amélioration et de développement	
Tout ce qui est dans votre tête et que vous n'avez consigné nulle part	
Toutes les tâches inscrites dans votre calendrier et toutes les tâches qui sont déjà inscrites dans votre agenda papier ou dans la fonction « Tâches » de votre agenda électronique	
Toutes les tâches qui comportent plusieurs étapes d'exécution, à différents moments et sur une certaine période de temps (tâches périodiques habituelles autres que les projets)	
Toutes les relances de clients que vous devriez ou souhaiteriez faire	
Tous les documents qui occupent votre espace de travail et qui nécessitent une action ou un suivi	
Toutes les actions liées à votre plan de développement professionnel (objectifs annuels ou autres)	
Autre	
Autre	
Total	

Le total des tâches en cours dépasse presque toujours la centaine. Évidemment, toutes ces tâches ne sont pas à accomplir en une seule journée. Certaines sont à effectuer plus tard comme les suivis, les relances, des recherches qu'il faudrait faire. D'autres sont entamées, mais attendent une confirmation, un supplément d'information ou autre chose : vous y avez travaillé hier et vous y travaillerez la semaine prochaine. C'est une tâche en cours qui continuera de l'être jusqu'à ce qu'elle soit complétée. Ces tâches doivent être réparties dans le temps, ne serait-ce que parce qu'il serait impossible de franchir toutes les étapes en une seule journée : elles doivent attendre leur tour.

Le questionnaire précédent met une chose en évidence : toutes ces tâches sont éparpillées à différents endroits et sur divers supports. Chaque ligne du questionnaire représente en fait une pile. Toutes les tâches contenues dans toutes ces piles deviennent en somme une immense pile.

L'effet néfaste des piles sur le cerveau et sur l'efficacité

Il ne faut pas sous-estimer l'effet d'encombrement que provoque dans le cerveau l'éparpillement de tâches dispersées dans diverses piles. Un individu subit l'effet des piles dès que ses tâches sont dispersées sur plus d'un support et qu'il doit plus ou moins régulièrement en faire le tour pour connaître les tâches à effectuer.

Et vous, combien de supports de tâches différents utilisez-vous pour décider des tâches à effectuer pendant votre journée et votre semaine ainsi que pour prendre vos décisions en cours de route ?

Utilisez-vous des post-it, un cahier de notes, un agenda papier, votre calendrier électronique, votre liste de tâches liée à votre agenda électronique, votre liste de courriels, une ou plusieurs piles de dossiers en cours organisées selon une certaine logique, des dossiers projets, des listes de tâches par projet, votre tête, des échéanciers de projets, etc. Recevez-vous aussi des alertes sur des tâches que vous voulez être certain de ne pas oublier et que vous repoussez généralement ? Êtes-vous de ceux ou celles qui s'envoient à eux-mêmes des courriels afin de ne pas oublier de faire ceci ou cela ? Utilisez-vous votre boîte de courriel comme une sorte de liste de tâches à faire ?

Tous les supports que je viens d'énumérer sont les différents outils de gestion du temps que les gens utilisent. Or, combien d'outils faut-il avoir ? Comme Nicole, il faut n'en avoir qu'un seul, évidemment. Sinon, vous subirez les effets des piles. Comprendre les effets néfastes des piles est essentiel à la recherche de solutions qui vous permettront de maîtriser votre processus de gestion du temps.

Je distingue six effets négatifs des piles :

1. **Elles encombrent le cycle préactif.**

   D'abord, quelques explications sur les trois cycles du cerveau : le cycle actif, le cycle préactif et le cycle inconscient[1].

   Le **cycle actif** concerne le moment présent. C'est lui qui gère l'action en cours. Il est dans le présent et ne peut gérer qu'une tâche à la fois. C'est d'ailleurs pour cette raison qu'il est impossible de réellement faire deux choses en même temps. Si vous en doutez, imaginez que vous avez un casque d'écoute qui vous permet de converser les mains libres. Il est néanmoins impossible de travailler sur un rapport qui n'est pas lié à cette conversation.

   Le **cycle préactif** est une mémoire à court terme, une mémoire tampon capable de stocker des informations ou des dossiers dont nous pourrions nous servir bientôt. C'est cette mémoire qui nous permet de basculer d'une tâche à l'autre sans faire appel à notre mémoire à long terme, le **cycle inconscient**. Dans le paragraphe précédent, c'est le cycle préactif qui vous permettrait de basculer rapidement de la conversation au rapport. Or, le cycle préactif ne peut stocker plus de huit tâches à la fois pendant environ 30 secondes. Au-delà de ce nombre, chaque nouvelle tâche ou idée qui se présente en délogera une autre. C'est d'ailleurs cette limite du cerveau qui est l'une des principales sources du stress au travail.

   Dans l'histoire de Sylvain, au début du livre, sa plus grande erreur de la journée est qu'il n'avait pas de plan de travail. Un bon plan de travail lui aurait permis de garder le cap en l'aidant à rester concentré. Malheureusement, sa gestion du temps s'était limitée, en début de journée, à établir deux priorités, son court rapport et son dossier ATG. C'est pourquoi Sylvain a rapidement sombré dans le

1. Pour en savoir plus, voir *Gérer son temps et son stress : pour un nouvel humanisme*, par Roger Moyson et Françoise L'Hoir, Éditions De Boeck Supérieur, 2001, 147 pages.

syndrome de l'action immédiate, car toute nouvelle sollicitation venait se placer directement sur le dessus de sa *pile mentale* et il se précipitait pour l'accomplir immédiatement.

Cela pourrait-il ressembler à certaines de vos journées de travail ? Si c'est le cas, vous ressentez certainement du stress ces jours-là. La dispersion fait en sorte que vous pensez davantage à ce que vous devriez faire qu'à ce que vous faites. Dans ces moments-là, vous basculez en mode « intention ». Or, j'aime bien cette équation qui pourrait même servir de maxime :

> L'INTENTION GÉNÈRE LA TENSION,
> ALORS QUE L'ACTION LIBÈRE LA TENSION.

2. **Les piles augmentent le temps de prise de décision.**

Selon mes observations, les gens qui travaillent dans les bureaux peuvent consacrer un total de 60 à 90 minutes par jour uniquement pour décider quelle sera leur prochaine tâche. Cette affirmation peut sembler exagérée, mais elle est tout à fait vérifiable.

Imaginons que vos tâches sont dispersées à plusieurs endroits. Vous venez de raccrocher le téléphone et vous devez rapidement décider quelle sera votre prochaine action. Si vous n'avez pas un bon plan de travail auquel vous pouvez vous référer rapidement, vous devrez revoir vos différents supports, juste pour prendre la bonne décision, une opération qui peut prendre facilement deux minutes. Et si une nouvelle demande surgit pendant ce court laps de temps, vous aurez tendance à la traiter immédiatement. Au bout d'une journée, combien de ces deux minutes aurez-vous pris ? Souvenez-vous que le cycle préactif ne peut contenir que huit éléments à la fois et dure seulement 30 secondes. Pour réduire ce temps de prise de décision, vous devez donc avoir un système qui vous permettra de garder le cap et d'éviter de faire constamment l'inventaire de vos tâches en cours.

3. **Les piles provoquent le syndrome de l'action immédiate.**

   Le syndrome de l'action immédiate est devenu l'une des grandes maladies qui affectent la gestion du temps. Ce sujet sera l'objet du chapitre 15, mais pour le moment je me contenterai de rappeler que nous sommes constamment bombardés par de nouvelles demandes d'actions. Or, le système des piles est une très mauvaise façon de faire face à toutes ces nouveautés. Beaucoup de gens s'acquitteront sur-le-champ de toutes ces petites actions en prétendant qu'ils risquent de les oublier et qu'il est donc plus efficace de les régler tout de suite. En réalité, ils s'en acquittent tout de suite parce que cette nouvelle demande vient de se placer sur le dessus de leur propre pile mentale, leur cycle préactif. Or, je le rappelle, le cycle préactif ne dure que trente secondes. Parmi d'autres conséquences néfastes du syndrome de l'action immédiate, mentionnons qu'il provoque l'éparpillement, multiplie les temps de mise en place (s'installer pour commencer quelque chose) et empêche les individus de se consacrer aux activités à plus haut rendement.

4. **Les piles diminuent le sentiment de satisfaction.**

   Ce point se passe pratiquement de commentaire. Comment est-il possible d'être satisfait quand vous avez accumulé autant de travail que ce que vous avez réussi à accomplir? De plus, il est facile de développer une certaine culpabilité quant à toute cette lecture, par exemple, qui s'accumule. Ce sentiment de culpabilité vous retient dans le passé, car vous repensez sans cesse à ce qui n'est pas réglé.

5. **Les piles empêchent de bien visualiser la journée de travail.**

   Vous l'avez sans doute deviné, toutes mes tâches sont planifiées et inscrites à des dates précises, en un seul endroit. En terminant ma journée, je prends le temps de planifier les nouvelles tâches qui se sont présentées et que je n'ai pu accomplir, puis de vérifier mon plan de travail du lendemain. Est-il réaliste et organisé de façon à optimiser ma journée de travail? Le matin suivant, j'entreprends ma journée en prenant une minute ou deux pour visualiser mon plan de travail de la journée. Cela me permet de m'en imprégner afin de gérer plus facilement, au cours de la journée, toutes les nouvelles sources d'actions qui se présenteront.

Je le répète souvent : dire « oui » à quelque chose, c'est aussi dire « non » à autre chose. Autrement dit, la vie impose une négociation constante, au travail comme partout ailleurs. Êtes-vous préparé à bien négocier avec les autres et avec vous-même tout au long de la journée ?

6. **Les piles mènent à des oublis fréquents.**

Qui n'a pas côtoyé au travail un individu entouré par des piles volumineuses et qui pouvait malgré tout retrouver n'importe quel dossier en un temps record ? Sans doute ce collègue affirmait-il qu'il avait sa propre organisation ou qu'il se retrouvait dans son désordre. Soyez rassuré, je suis loin de ridiculiser cette personne dont la charge de travail était sans doute immense. Toutefois, le véritable enjeu ne consiste pas à retrouver un dossier, mais plutôt à savoir **quand** le traiter. Imaginez aussi quel cauchemar la gestion de ses suivis doit être pour cette personne. Les suivis étant préventifs par nature, ils ne réclameront pas d'eux-mêmes l'attention. Il faut aussi ajouter les tâches ou les dossiers qui impliquent des sous-actions, celles qui doivent être séquencées. La gestion de ce type de tâches est un réel casse-tête avec le système des piles. Par conséquent, pour ne rien oublier, cet individu doit très fréquemment parcourir ou inventorier tous ses dossiers. Voilà pourquoi il connaît ses piles par cœur ! On pourrait donc affirmer que sa connaissance approfondie de l'emplacement de toutes ses piles est un symptôme plutôt qu'une qualité.

Pour diminuer les effets néfastes des piles, il vous faut donc un système de gestion des tâches doté de ces caractéristiques :

- il libère l'esprit ;
- il accélère la prise de décision ;
- il minimise la manipulation des tâches ;
- il assure de ne jamais rien oublier ;
- il permet de terminer l'action en cours ;

- il prend en charge la nouveauté ;
- il facilite la négociation ;
- il aide à discerner facilement l'urgent de l'important ;
- il apporte la satisfaction à la fin de la journée.

6

Quatre principales approches en gestion du temps

Vous ne trouverez jamais le temps de rien.
Si vous voulez du temps, vous devez
vous le créer.

Charles Buxton

Nous avons constaté plus haut que la majorité d'entre nous avons plusieurs centaines de tâches. Nous avons aussi pris conscience, en analysant l'effet des piles, des conséquences de cette abondance de tâches.

Or, que fait, quasi intuitivement, l'être humain placé devant une très grande quantité d'éléments à gérer ? Évidemment, il classe, regroupe et hiérarchise.

Toutes les approches en gestion du temps proposent une façon de classer vos tâches en cours. Chaque individu possède une méthode plus ou moins formelle qu'il a soit apprise ou développée lui-même, qu'il a adaptée de ses lectures ou qui s'inspire de celle de ses collègues de travail.

D'après mes observations et mes lectures, il existe quatre approches principales pour classer les tâches. La méthode que les gens utilisent dérive de ces approches ou de leur combinaison.

Première méthode : le classement par catégories. Cette approche s'appuie sur le fait que les tâches en cours peuvent être regroupées en familles d'actions, peu importe leur nombre. Supposons que vous êtes un acheteur. Vous avez sans doute des demandes d'achat à traiter ou en cours de traitement. Vous avez certainement aussi certaines commandes qui souffrent d'une rupture de stock (*back order*) et que vous devez suivre de plus près. Vous avez également reçu des offres de prix que vous devez analyser et négocier. Et puis, vous êtes constamment à la recherche de nouveaux produits ou de fournisseurs et vous accumulez des documents reliés à vos recherches. Peut-être avez-vous également quelques projets en cours, une acquisition de machinerie par exemple, dont la documentation est plus volumineuse. Il semble logique de réunir toutes ces tâches en cours par familles d'actions.

Cette approche permet de retrouver les tâches rapidement. Elles peuvent aussi être priorisées plus facilement puisque certaines familles d'actions peuvent être plus stratégiques pour votre travail que d'autres. Les inconvénients de cette méthode sont malheureusement plus nombreux. Le temps de planification demeure très long puisque vous devez fréquemment inventorier toutes vos tâches pour dresser votre plan de travail quotidien ou hebdomadaire. De plus, les tâches longues qui doivent être découpées en sous-tâches seront très difficiles à gérer et risquent d'être traitées à la dernière minute ou trop tard. Enfin, certaines familles d'actions seront nécessairement négligées.

Deuxième méthode : le plan d'action quotidien ou hebdomadaire. Elle consiste à préparer un plan d'action pour le lendemain ou pour la semaine à partir de toutes les tâches en cours. Cette méthode est sans doute la plus fréquemment préconisée dans les ouvrages sur la gestion du temps. À première vue, cette approche semble découler du gros bon sens.

Elle souffre néanmoins des mêmes désavantages que la première méthode : manipulations fréquentes des tâches avant qu'elles figurent sur le plan d'action et difficulté à gérer les tâches longues.

Troisième méthode : le classement par priorité. La méthode consiste, en simplifiant, à répartir les tâches dans trois grandes catégories : urgent et important, important mais pas urgent et... à faire (éventuellement).

Cette dernière approche est certainement la pire. Tout finira par aboutir dans la catégorie « urgent et important » ou ne sera jamais fait. Avec cette approche, les tâches plus longues sont nécessairement commencées à la dernière minute.

Je vois généralement un **mélange des trois méthodes** précédentes. Par catégories, avec une certaine priorisation à l'intérieur des groupes et un plan d'action quotidien. C'est à peu près l'approche de David Allen, auteur de *Getting Things Done*. Les tâches sont classées par catégories et les gens sont amenés à dresser un plan d'action quotidien. Encore une fois, cette approche entraîne une manipulation fréquente des tâches avant qu'elles finissent par figurer sur le plan d'action, et la gestion des tâches qui doivent être séquencées en étapes est très difficile.

Quatrième méthode : par date d'exécution. Chaque tâche sera exécutée un jour, à un moment précis. Pourquoi ne pas la consigner immédiatement à la date choisie ? Ensuite, dans le plan d'action quotidien qui en résulte, les tâches devront idéalement être regroupées par catégories. Enfin, certaines tâches plus importantes que d'autres deviendront les priorités du jour.

Cette dernière approche est la seule qui permette de ne jamais rien oublier tout en évitant l'inventaire quotidien de toutes les piles de tâches. C'est, bien sûr, la méthode qu'utilisait Nicole et qui est à la base de la méthode Qualitemps.

7

La méthode Qualitemps

L'avenir n'est jamais que du présent
à mettre en ordre. Tu n'as pas à le prévoir,
mais à le permettre.

Antoine de Saint-Exupéry

Pour mettre fin à l'effet des piles, la solution est de **planifier toutes vos tâches**, c'est-à-dire d'assigner une date d'exécution à toutes vos tâches en cours. De cette façon, vous obtiendrez une série de plans d'action réalistes. Ces plans d'action représentent vos journées de travail et c'est par le biais de ceux-ci que vous établirez vos priorités.

Les objections

Quand je propose aux participants dans mes formations s'il serait possible d'attribuer une date à toutes leurs tâches en cours, je fais généralement face à trois objections.

Première objection : *Je suis tributaire d'une autre personne pour ce travail. J'attends une réponse ou une information.*

C'est certain que vous ne pouvez pas planifier d'*attendre*, mais vous pouvez planifier un suivi. La gestion des suivis est d'ailleurs l'une des grandes clés de la réussite en gestion du temps.

Deuxième objection : *Je travaille ou aimerais travailler sur différents projets à plus longue haleine, mais ce type de tâche est très difficile à planifier.*

La pire erreur à faire quand on veut planifier et maîtriser ce type de tâches est de les consigner à la date d'échéance seulement. La première chose qu'il faut faire est d'abord de les analyser afin de les séquencer et d'en établir les étapes. La tâche doit ensuite être consignée à la date de la première action et déplacée par la suite au fur et à mesure que les différentes étapes sont accomplies.

Troisième objection : *C'est difficile de mettre des dates sur tout, car il y aura toujours des imprévus.*

C'est certain qu'il y en aura, mais il est beaucoup plus facile de bien gérer les imprévus si vous avez bien planifié votre journée. À ce moment-là, votre agenda devient votre carte de navigation en facilitant la prise de décision. Si vous savez où vous allez, vous êtes bien plus certain d'atteindre le port.

Vous gérez du temps

Il faut vous dire que vous ne gérez pas des dossiers, des fichiers, des courriels ou des papiers. Fondamentalement, vous gérez du temps parce que c'est votre principale ressource. Tout ce qui occupe votre espace de travail – électronique ou physique – représente une tâche à accomplir à une certaine date et pendant une période donnée. Chacune de ces tâches occupera une partie du temps qui vous est imparti. Celles-ci doivent donc prendre rendez-vous afin que vous vous en occupiez.

> VOUS POUVEZ METTRE UN *QUAND* À TOUTES VOS TÂCHES ET VOUS DEVEZ LE FAIRE, CAR C'EST L'APPROCHE QUI VOUS FERA GAGNER LE PLUS DE TEMPS.

Le principe du *quand* s'applique sans exception à l'ensemble de vos actions à venir. Si ces tâches sont *à faire à tel moment*, vous pouvez donc assigner une date à chacun des éléments qui vous entourent et les inscrire comme *tâche à faire* dans votre agenda papier ou électronique. Il faut que toutes vos actions en cours, quel que soit leur support, soient transformées en une tâche à accomplir à un moment déterminé.

Les avantages

Premier avantage: L'attribution d'une date d'exécution à chacune de vos actions vous donnera l'assurance de les accomplir au moment opportun et de ne pas devoir y penser avant. C'est la seule façon de gérer efficacement l'ensemble de vos tâches.

Deuxième avantage: Cette approche est la seule solution qui permette de respecter l'un des grands principes en gestion du temps: il ne doit pas être nécessaire d'inventorier toutes les tâches pour planifier une journée.

Troisième avantage: Cette méthode de travail pourrait, à elle seule, vous faire gagner plus d'une heure par jour en plus de vous apporter la tranquillité d'esprit!

Cet aspect de ma méthode (la méthode Qualitemps) repose sur un énoncé théorique qui, pour moi, a une grande portée:

> IL FAUT D'ABORD PLANIFIER TOUTES LES TÂCHES,
> ENSUITE ON LEUR DONNE UN ORDRE DE PRIORITÉ.

8

La méthode Qualitemps en détail

Les choses qui importent le plus
ne doivent pas être à la merci de celles
qui importent le moins.

Goethe

Pour illustrer concrètement la mise en œuvre de la méthode Qualitemps, j'utiliserai la description de mon propre système de gestion du temps. Commençons par un aperçu des tâches et des responsabilités que mon système doit me permettre de bien gérer.

Je possède et dirige l'entreprise Formations Qualitemps qui rassemble un peu plus de 20 formateurs et consultants ainsi qu'une équipe administrative de cinq personnes.

Formations Qualitemps offre une soixantaine de formations ainsi que des services d'accompagnement et de coaching dans différents champs d'intervention. Depuis sa constitution en 2000, l'entreprise a connu une croissance à peu près constante conformément à mon objectif de départ.

Tout en visant la croissance, j'avais décidé de consacrer la moitié de mon temps à dispenser des formations (ce pourcentage a légèrement diminué depuis, compte tenu de la croissance de l'entreprise, mais il se situe toujours à près de 40 %).

Pour parvenir à assumer cette double charge d'entrepreneur et de formateur, je devais bâtir une équipe administrative solide et des processus administratifs très rigoureux.

Un autre de mes objectifs était de développer une offre de cours très spécifique et orientée sur une mission d'entreprise bien définie.

Par conséquent, mes tâches peuvent être résumées ainsi:

Dispenser des formations (incluant la préparation des cours)	40 %
Supervision des activités administratives: lecture des différents tableaux de bord et planification d'actions préventives ou correctives au besoin, rencontres avec les personnes responsables	2 à 5 %
Planification et suivi des activités de vente et de promotion. Rencontres avec les personnes responsables	2 à 5 %
Veille et recherche	5 %
Planification stratégique et projets en découlant: alliances, etc.	15 %
Supervision des projets spéciaux	2 à 5 %
Rédaction de cours ou supervision de la rédaction selon les critères de Formations Qualitemps	10 %
Gestion de la formation: rendu des cours et communication avec les formateurs	5 à 10 %
Soutien aux ventes, rencontres clients occasionnelles	2 à 5 %

Ma charge de travail représente environ 200 à 300 tâches en cours. Ce chiffre varie évidemment selon la période de l'année. Certaines tâches sont très courtes et ne se résument qu'à un suivi. D'autres sont évolutives, comme celles qui sont rattachées au développement, et peuvent être découpées en sous-tâches.

Ma situation illustre bien l'importance de planifier toutes les tâches. Que se passerait-il si je devais vérifier toutes mes tâches de suivis chaque jour, avant de décider laquelle faire? Si je devais vérifier toutes mes échéances pour décider des tâches que je dois entreprendre aujourd'hui? Bien sûr, il m'arrive d'exécuter quelques petites tâches durant une journée où je donne une formation. Quelques suivis, un appel, l'envoi d'un document à un client, etc., toutes des tâches que je peux faire uniquement parce que je les ai planifiées au préalable. Je ne pourrais y arriver si je devais les repérer dans un immense fourre-tout.

Pour parvenir à planifier, à contrôler et à exécuter mon travail efficacement, j'ai organisé mon gestionnaire de tâches pour qu'il soit un réel tableau de bord.

Personnellement, j'utilise Microsoft Outlook en version PC. Je traiterai dans le prochain chapitre de divers autres gestionnaires de tâches.

Je me limiterai pour l'instant à souligner que l'avantage principal d'Outlook est d'être très personnalisable. Vous verrez avec les captures d'écran qui suivent que j'utilise le logiciel de façon très avancée[2].

Afin d'optimiser l'utilisation de mon gestionnaire de tâches, j'ai développé différentes présentations visuelles des informations grâce auxquelles je peux visualiser mes tâches dans diverses situations. Je change de présentation selon ce que je veux accomplir : exécuter, planifier ou analyser mes tâches. Vous verrez plus loin quelques captures d'écran qui montrent des exemples. Certaines tâches doivent aussi être subdivisées en sous-tâches qui apparaissent dans la liste de tâches à la date à laquelle j'ai décidé de les accomplir.

Voici un tableau des présentations visuelles les plus importantes, selon moi :

Visuel	Description
1. Aujourd'hui	Affiche les rendez-vous du jour, les tâches de la journée en cours et les tâches en retard s'il y en a. Les tâches sont regroupées par catégories. Elles peuvent être ordonnancées selon un ordre de priorité à l'intérieur de chaque catégorie. La fonction Calendrier est sur le même visuel que les tâches du jour afin d'arrimer le calendrier et les tâches dans la stratégie d'exécution. Ce visuel permet d'actualiser tous les principes d'efficacité dans l'exécution des tâches.
2. Demain	Cette présentation visuelle a été créée pour faciliter et accélérer la planification de la journée du lendemain. Elle offre toutes les possibilités de regroupement et de priorisation voulues. Même si les tâches ont déjà toutes été planifiées, il est préférable de vérifier la veille si la journée du lendemain est bien planifiée.
3. Par catégories	C'est le tableau de bord complet de toutes les tâches en cours ou déjà exécutées. Il permet une analyse complète de la charge de travail ou, par exemple, d'un projet en particulier.
4. Semaine prochaine	Ce visuel est similaire au visuel « Demain », mais sert à la planification hebdomadaire. Celle-ci doit être entretenue et revue régulièrement, mais en y consacrant le moins de temps possible.

Ces quatre visuels permettent une planification rapide et une exécution efficace des tâches en cours. Il est important de pouvoir basculer de l'un à l'autre très rapidement. Voici donc les saisies d'écran de ces présentations visuelles dans mon outil de gestion du temps Outlook.

2. Le cours Outlook que nous dispensons dure une journée entière et dépasse largement le cadre de la bureautique.

Exemples des différents visuels

1) **Aujourd'hui** en mode **exécution**:

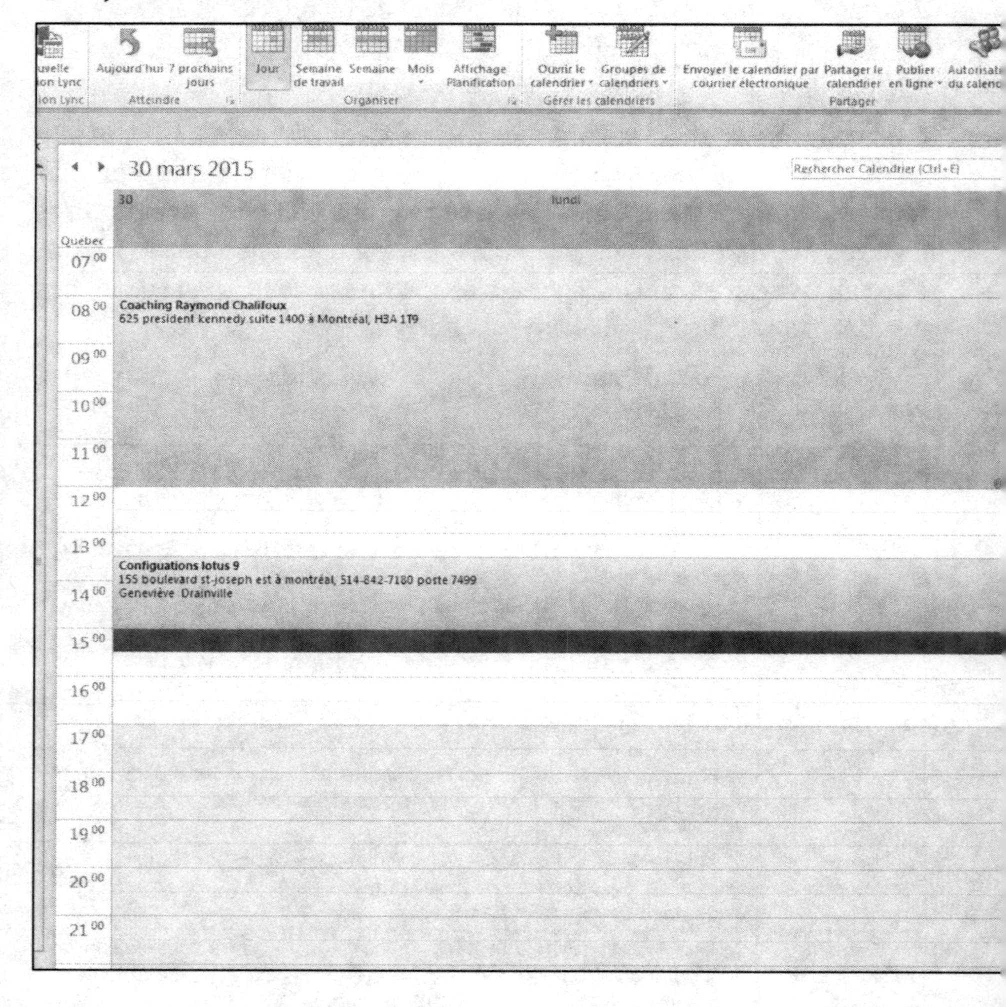

Cette vue présente le calendrier à gauche, le navigateur de dates en haut à droite et la barre des tâches sous le navigateur de dates.

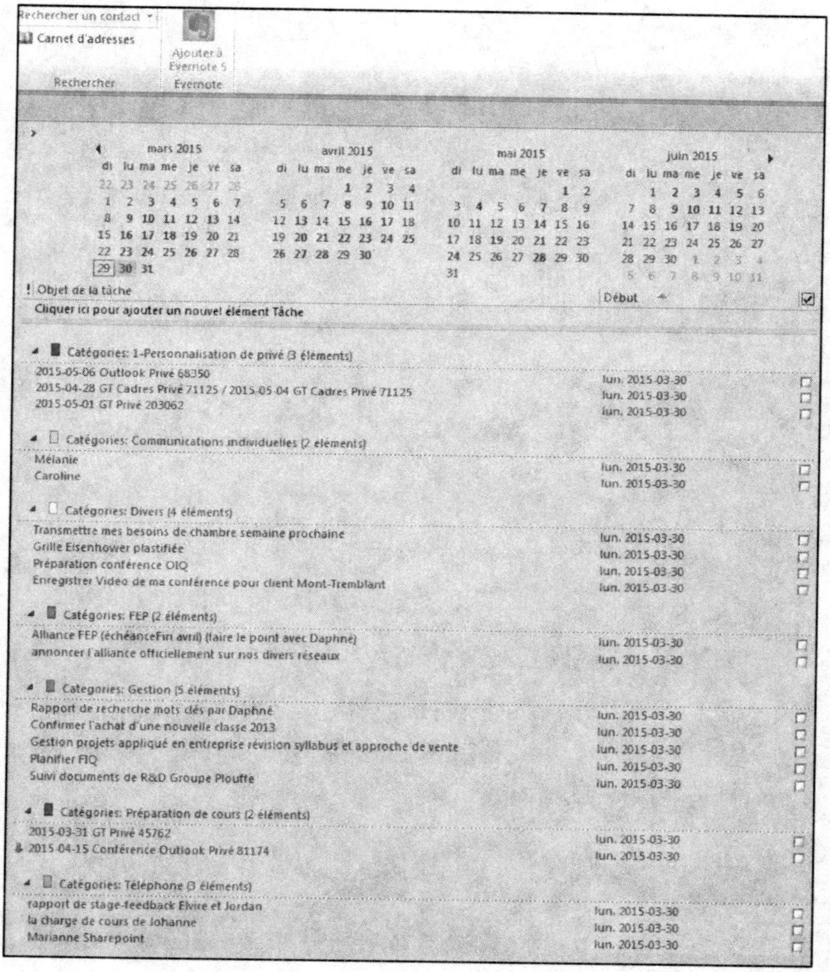

Rechercher un contact
Carnet d'adresses
Ajouter à Evernote 5
Rechercher
Evernote

mars 2015 · avril 2015 · mai 2015 · juin 2015

! Objet de la tâche | Début
Cliquer ici pour ajouter un nouvel élément Tâche

Catégories: 1-Personnalisation de privé (3 éléments)
2015-05-06 Outlook Privé 68350 — lun. 2015-03-30
2015-04-28 GT Cadres Privé 71125 / 2015-05-04 GT Cadres Privé 71125 — lun. 2015-03-30
2015-05-01 GT Privé 203062 — lun. 2015-03-30

Catégories: Communications individuelles (2 éléments)
Mélanie — lun. 2015-03-30
Caroline — lun. 2015-03-30

Catégories: Divers (4 éléments)
Transmettre mes besoins de chambre semaine prochaine — lun. 2015-03-30
Grille Eisenhower plastifiée — lun. 2015-03-30
Préparation conférence OIQ — lun. 2015-03-30
Enregistrer Video de ma conférence pour client Mont-Tremblant — lun. 2015-03-30

Catégories: FEP (2 éléments)
Alliance FEP (échéanceFin avril) (faire le point avec Daphné) — lun. 2015-03-30
annoncer l'alliance officiellement sur nos divers réseaux — lun. 2015-03-30

Catégories: Gestion (5 éléments)
Rapport de recherche mots clés par Daphné — lun. 2015-03-30
Confirmer l'achat d'une nouvelle classe 2013 — lun. 2015-03-30
Gestion projets appliqué en entreprise révision syllabus et approche de vente — lun. 2015-03-30
Planifier FIQ — lun. 2015-03-30
Suivi documents de R&D Groupe Plouffe — lun. 2015-03-30

Catégories: Préparation de cours (2 éléments)
2015-03-31 GT Privé 45762 — lun. 2015-03-30
2015-04-15 Conférence Outlook Privé 81174 — lun. 2015-03-30

Catégories: Téléphone (3 éléments)
rapport de stage-feedback Elvire et Jordan — lun. 2015-03-30
la charge de cours de Johanne — lun. 2015-03-30
Marianne Sharepoint — lun. 2015-03-30

La barre a été configurée afin de voir les tâches du jour ainsi que les tâches en retard (s'il y en a). Les tâches sont de plus regroupées par catégories.

2) **Demain**, en mode **planification court terme** :

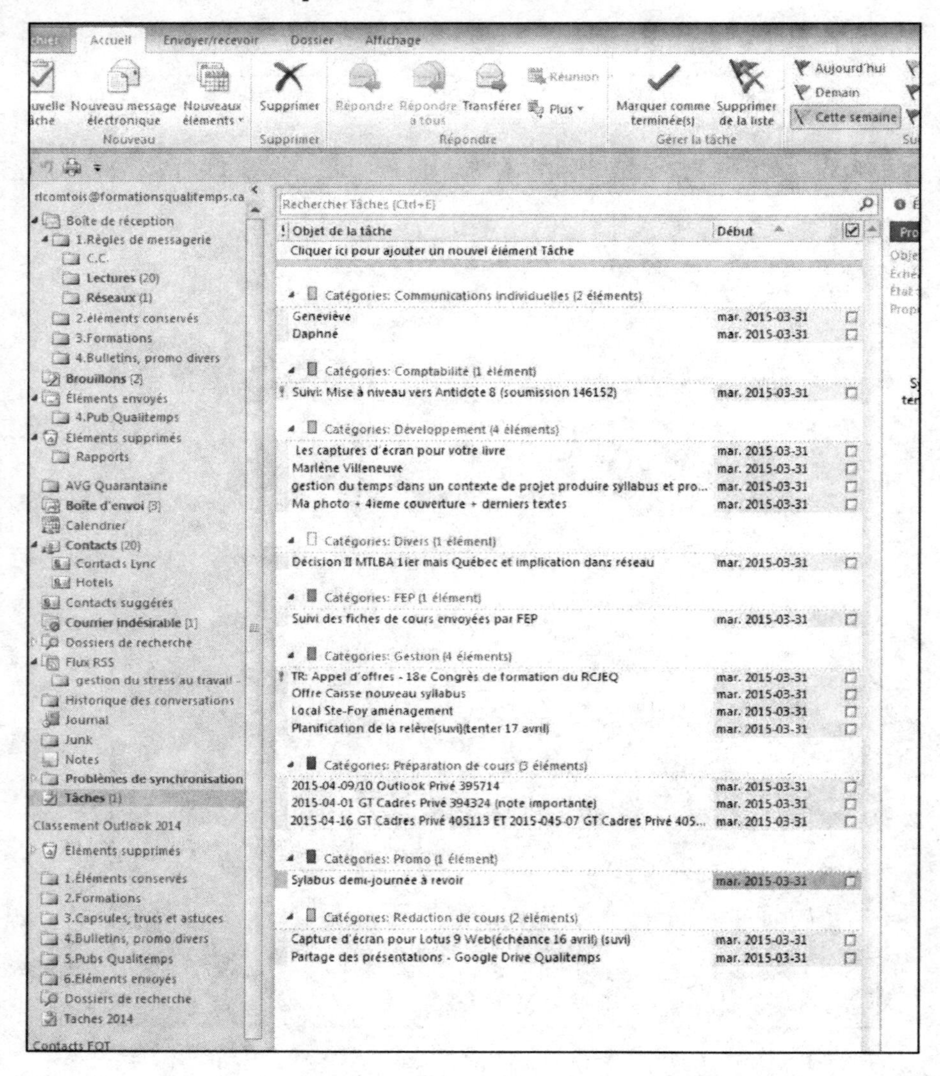

Vous pouvez voir que ce visuel ne contient que les tâches de la journée suivante regroupées par catégories.

3) Par **catégories**, mode **analyse** et **recherche** de tâches :

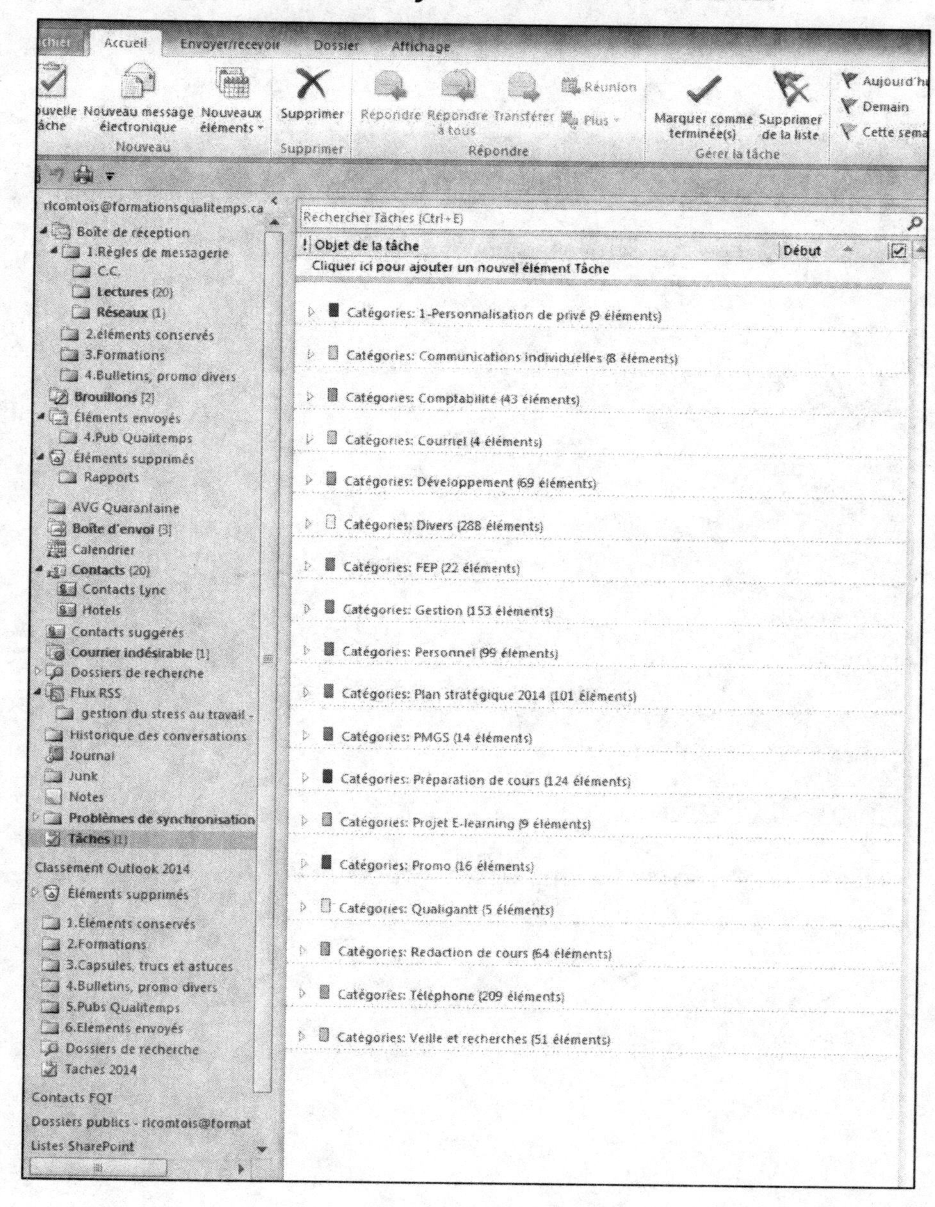

Ce visuel présente **toutes les tâches**, en cours ou exécutées, organisées par **catégories**.

4) **Semaine prochaine**, mode **planification hebdomadaire** :

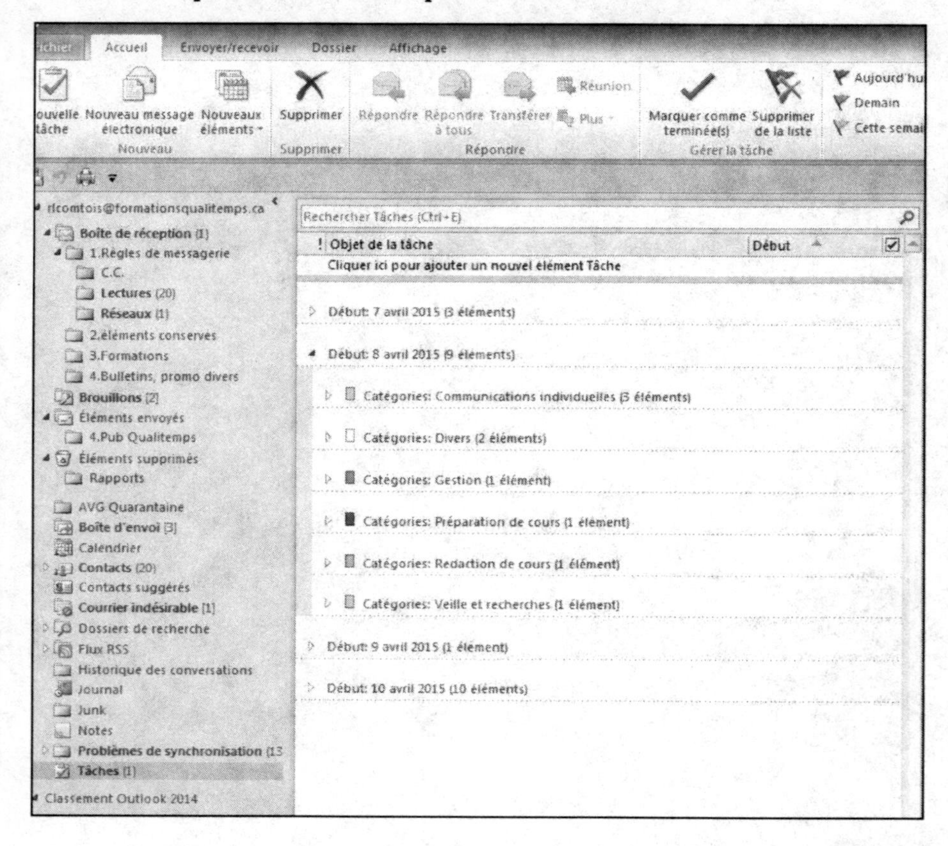

Ici, les tâches sont regroupées par jour et ensuite par catégories à l'intérieur de chaque journée.

J'ai mentionné précédemment que certaines tâches doivent être subdivisées en sous-tâches. En voici une représentation visuelle, toujours dans Outlook.

Exemple de tâche découpée (séquencée en sous-tâches) :

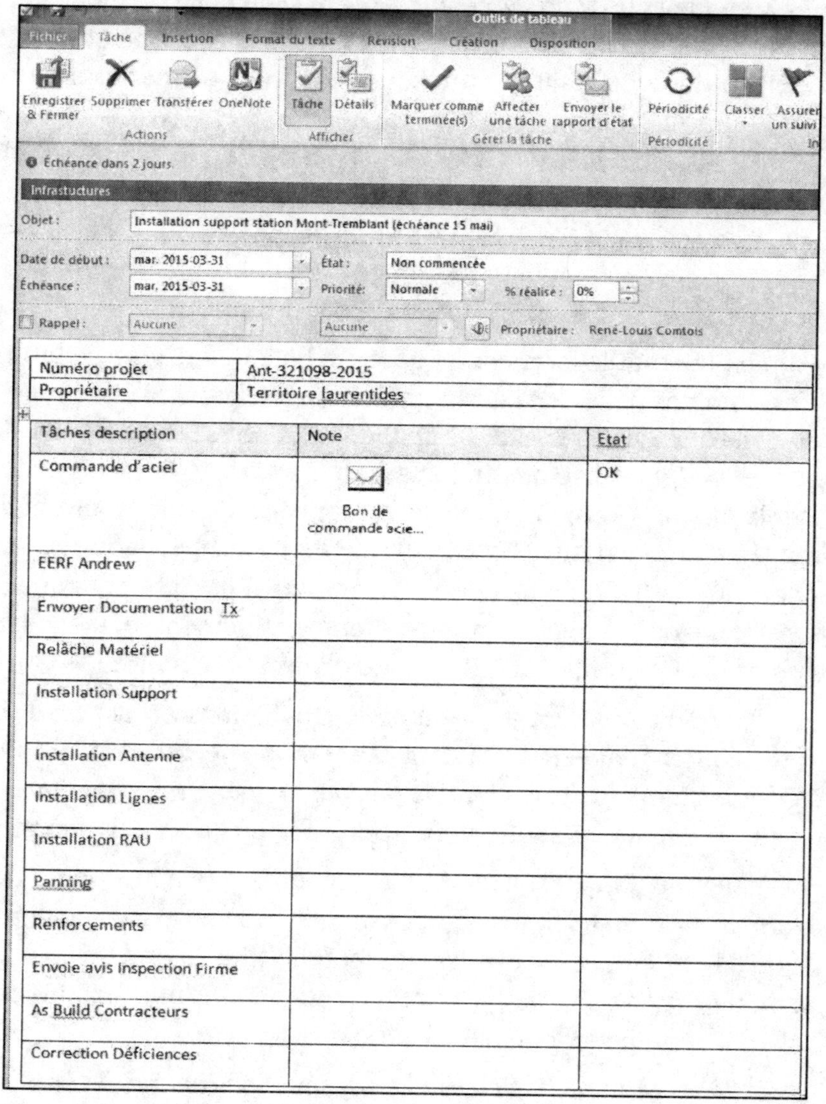

Outils de tableau
Fichier | Tâche | Insertion | Format du texte | Révision | Création | Disposition

Enregistrer & Fermer | Supprimer | Transférer | OneNote — Actions
Tâche | Détails — Afficher
Marquer comme terminée(s) | Affecter une tâche | Envoyer le rapport d'état — Gérer la tâche
Périodicité — Périodicité
Classer | Assurer un suivi

Échéance dans 2 jours.

Infrastuctures

Objet : Installation support station Mont-Tremblant (échéance 15 mai)

Date de début : mar. 2015-03-31 | État : Non commencée
Échéance : mar. 2015-03-31 | Priorité : Normale | % réalisé : 0%
Rappel : Aucune | Aucune | Propriétaire : René-Louis Comtois

Numéro projet	Ant-321098-2015
Propriétaire	Territoire laurentides

Tâches description	Note	Etat
Commande d'acier	Bon de commande acie...	OK
EERF Andrew		
Envoyer Documentation Tx		
Relâche Matériel		
Installation Support		
Installation Antenne		
Installation Lignes		
Installation RAU		
Panning		
Renforcements		
Envoie avis Inspection Firme		
As Build Contracteurs		
Correction Déficiences		

J'ai réalisé cet exemple de découpage pendant une formation dispensée à une équipe dont les membres doivent installer divers équipements de télécommunication. La tâche « Installation support station Mont-Tremblant » a été découpée pour mieux en maîtriser toutes les étapes. Chaque ligne représente une action ou un suivi à exécuter et la première ligne, « commande d'acier », est la première sous-tâche. La tâche globale sert de feuille de route, une sorte de petit gestionnaire de projet. Au fur et à mesure que les étapes sont exécutées, la tâche est déplacée à la date de la prochaine action. Dans ce cas précis, la tâche peut même servir à retracer l'historique du projet puisque, par exemple, le bon de commande d'acier envoyé par courriel a été copié dans la tâche. Cette dernière pourra être sauvegardée dans le dossier global du projet à la fin de l'exécution de celui-ci.

À peu près tout le monde doit gérer ce type de tâches et leur maîtrise est l'un des défis de la gestion du temps. Je parlerai donc plus en détail de ce type de tâches dans le chapitre 10, *Comment gérer vos tâches longues et vos projets*. Je décrirai aussi au chapitre 20 la façon de bien utiliser la fonction « Calendrier ». Les exemples ci-dessus montrent que je privilégie la fonction « Tâches ». Plusieurs personnes ignorent cette fonction et surchargent alors leur calendrier. Elles obtiennent ainsi une vision erronée de leur emploi du temps et perdent le dynamisme qu'apporte la fonction « Tâches » lorsqu'elle est bien utilisée.

Ces exemples montrent la méthode Qualitemps en action et démontrent que l'outil sert à soutenir la méthode. Je gère efficacement une grande charge de travail, mais pas parce que je maîtrise Outlook. Ma maîtrise d'Outlook soutient mes principes de gestion du temps.

Combien de temps devrez-vous accorder à la planification de vos tâches ? Une fois un tel système de gestion du temps mis en place, il ne reste qu'à l'entretenir. Je consacre environ de 10 à 15 minutes par jour à ma planification quotidienne et de 20 à 30 minutes par semaine pour ma planification hebdomadaire.

Avez-vous eu l'impression que je consacre des heures à gérer mon temps ou que mon approche est bien compliquée ? J'espère que vous avez constaté, au contraire, qu'il est beaucoup plus facile avec ma méthode de garder le cap, de travailler l'esprit tranquille, d'être plus concentré, d'être certain de ne rien oublier, de mieux gérer les tâches longues, bref, de gérer efficacement une grande charge de travail tout en respectant l'essentiel : un horaire de travail qui équilibre bien vie personnelle et professionnelle. En d'autres mots, une bonne méthode qui facilite la vie !

UNE BONNE MÉTHODE DE GESTION DU TEMPS,
C'EST UN PEU DE LA PARESSE APPLIQUÉE.

Si vous décidez d'appliquer la méthode Qualitemps, vous devrez d'abord exécuter un premier tri de tout ce qui vous entoure afin d'accélérer le travail. J'explique comment le faire facilement et simplement dans le chapitre 11, *Mise en place rapide de votre système*. Vous devrez peut-être aussi choisir ou valider votre outil de gestion du temps. Pour y parvenir, vous pouvez consulter le chapitre 9, *Les outils de gestion du temps et leur utilisation* dans lequel vous trouverez une liste exhaustive de critères qui pourront vous aider à choisir votre outil de gestion du temps.

***

Voici maintenant quelques conseils pour appliquer la méthode Qualitemps afin de parvenir à une meilleure maîtrise de vos tâches et activités. Ils résument les principaux points de ce chapitre ; vous en trouverez dorénavant à la fin de chacun des chapitres suivants.

✓ Choisissez ou validez votre outil de gestion du temps. Voir, au besoin, le chapitre 9, *Les outils de gestion du temps et leur utilisation*.

✓ Afin d'accélérer la mise en place de votre système de gestion des tâches, commencez par un premier tri. Voir le chapitre 11, *Mise en place rapide de votre système*.

✓ Planifiez toutes vos tâches.

- ✓ Veillez à ne pas surcharger vos journées lorsque vous déterminerez les tâches que vous voulez accomplir.
- ✓ Lors de l'inscription d'une tâche vérifiez aussi votre emploi du temps, vos rendez-vous et s'il est réaliste d'exécuter cette tâche à cette date.
- ✓ À la fin de votre journée, planifiez les tâches nouvelles qui se sont présentées et que vous n'avez pas accomplies. Replanifiez aussi celles que vous aviez planifiées et que vous n'avez pas pu réaliser. Vérifiez votre journée du lendemain (visuel *Demain*).
- ✓ À la fin de la semaine, vérifiez et finalisez la planification de la semaine à venir (visuel *Semaine prochaine*).
- ✓ Découpez les tâches longues et les projets en étapes successives et déplacez la tâche à la date de la prochaine action au fur et à mesure qu'une étape est complétée.
- ✓ Occasionnellement, analysez vos tâches plus en profondeur (visuel *Par catégories*).

9

Les outils de gestion du temps et leur utilisation

L'ouvrier qui veut bien faire son travail doit commencer par aiguiser ses instruments.

Confucius

Ce que nous avons vu précédemment met en lumière l'importance de choisir le bon outil pour gérer votre temps. Pour inscrire toutes vos tâches, vous devez d'abord choisir un outil de gestion du temps qui :

- vous permette de gérer toutes vos tâches ;
- vous permette de prendre en charge les courriels qui contiennent des tâches à faire dans le futur ;
- puisse regrouper tous vos autres outils et supports de gestion du temps.

IDÉALEMENT, VOUS DEVRIEZ N'UTILISER QU'UN SEUL OUTIL DE GESTION DU TEMPS : IL DOIT DEVENIR VOTRE TABLEAU DE BORD.

Il y a cependant des exceptions, comme dans les cas où vous devez utiliser un logiciel CRM (gestion des relations clients) ou une base de données spécialisée pour réaliser certains suivis. Vous devriez alors optimiser chacun d'eux selon ses forces respectives. L'utilisation de deux écrans pourrait considérablement augmenter votre efficacité dans ces cas-là.

Comment choisir et bien utiliser votre outil de gestion du temps

En partant du fait que le temps, dans les bureaux, est l'une des ressources les plus importantes à gérer, on peut certainement affirmer que l'outil qui sert à gérer ce temps est tout aussi important.

Il faut être très vigilant quant aux critères qui guideront votre choix. Votre critère principal sera-t-il la mobilité ? Ou encore le coût ou l'espace requis sur le serveur ? Pour moi, **le principal critère devrait être la productivité**. Demanderiez-vous à un menuisier de travailler uniquement avec une égoïne plutôt qu'avec une scie circulaire électrique sous prétexte qu'une égoïne est plus facile à transporter, peut être utilisée partout et est plus légère ? Évidemment non, même si une égoïne est un outil qui facilite la mobilité. Heureusement, il est possible de combiner tous les avantages recherchés en matière de gestion du temps, à condition de choisir les bons outils.

Voici d'ailleurs une citation très inspirante de Peter Drucker et qui souligne l'importance des choix reliés à la gestion du temps :

> LE TEMPS EST LA RESSOURCE LA PLUS PRÉCIEUSE, ET CE N'EST QU'EN GÉRANT EFFICACEMENT LE TEMPS QUE L'ON PEUT MANAGER TOUTE L'ACTIVITÉ D'UNE ENTREPRISE.

L'agenda (papier ou électronique) est un outil indispensable pour gérer votre temps. Mais comment choisir la meilleure solution dans un contexte où il existe de plus en plus de logiciels et d'applications ? Pour tenter d'y voir clair, j'identifierai les principaux critères auxquels un bon système devrait répondre.

Les agendas papier

Si votre choix s'arrête sur un agenda papier, choisissez ceux qui réservent une page complète par journée. Ces agendas offrent suffisamment d'espace pour noter les nombreuses tâches à accomplir dans une journée. Dans ces agendas, vous visualiserez d'un coup d'œil toutes vos tâches et vos rendez-vous de la journée. Pour cela, il est important de choisir un agenda qui présente obligatoirement deux sections dans chaque page : *Rendez-vous* et *À faire aujourd'hui*.

Les agendas papier, il faut bien le dire, sont devenus un peu obsolètes. Bien sûr, ils offrent encore quelques avantages pour certaines personnes, mais ils ne permettent pas d'intégrer une gestion efficace des courriels, ce qui représente une grande lacune. En ce sens, et pour bien d'autres raisons, **les agendas électroniques sont beaucoup plus performants**.

Les agendas électroniques

C'est ici que le choix se complique. Il existe des dizaines de logiciels et d'applications mobiles qui prétendent prendre en charge la gestion des tâches. Malheureusement, plusieurs de ces outils ne permettent pas de bien gérer l'ensemble du processus de gestion du temps. En fait, les fonctionnalités de plusieurs d'entre eux ressemblent plus à une banale liste d'épicerie électronique qui génère de multiples rappels que les usagers ne cessent de reporter.

Je vois malheureusement beaucoup trop souvent des individus ou même des entreprises sacrifier l'efficacité des processus de travail au profit d'objectifs qui sont, à mon avis, beaucoup moins rentables.

Il arrive que des entreprises choisissent un logiciel avec pour principal critère de faciliter le stockage des courriels au prix d'une perte de productivité, alors qu'elles auraient pu atteindre le même but à l'aide d'une meilleure formation des employés et l'instauration d'un protocole simple.

Le choix est aussi fait, dans certains cas, pour économiser des frais de licences. Pourtant, les logiciels de gestion de messagerie (les agendas électroniques sont toujours liés à un compte de messagerie), quels qu'ils soient, sont toujours relativement peu coûteux. En tenant compte des gains de temps que peut apporter un bon logiciel ou, à l'inverse, des pertes de temps causées par un mauvais outil, le rendement de l'investissement dans un bon logiciel sera toujours très rapide.

Finalement, un autre critère de choix des individus et des entreprises concerne souvent la mobilité de l'outil. Presque tous les outils électroniques peuvent, dans les faits, être synchronisés avec un appareil mobile comme une tablette ou un téléphone. Par contre, il est illusoire de penser atteindre le niveau d'efficacité que j'ai décrit au chapitre précédent en utilisant seulement l'une des nombreuses applications offertes pour les tablettes électroniques.

Il ne faudrait surtout pas sacrifier l'efficacité des processus de travail, dont la gestion du temps est l'un des plus importants, pour favoriser la mobilité alors qu'il est maintenant possible d'avoir les deux.

Toutefois, ce livre ne vise pas à inventorier les multiples logiciels de toutes sortes. En ce moment, Microsoft Outlook pour PC demeure l'un des outils les plus performants en plus d'être le plus configurable pour ceux et celles qui le maîtrisent à fond.

Un logiciel de gestion du temps est un centralisateur d'informations. Il devrait au moins permettre d'intégrer vos tâches, notes, courriels, contacts et rendez-vous dans un même « contenant » afin d'éviter l'éparpillement. Voici donc, comme promis, les principaux critères auxquels un bon système devrait répondre.

	Fonctionnalités	✓
1	Permet d'intégrer « Courriels », « Calendrier » et « Tâches ».	
2	Offre une fonction « Tâches » conviviale et efficace.	
3	Peut présenter « Tâches » et « Rendez-vous » dans un même visuel.	
4	Permet de créer et de configurer les visuels de la fonction « Tâches ».	
5	Peut transformer un courriel en tâche ou insérer un courriel dans une tâche.	
6	Laisse un courriel inséré dans une tâche conserver ses propriétés de courriel.	
7	Laisse un courriel inséré dans une tâche conserver ses pièces jointes.	
8	Est capable d'attribuer des catégories aux tâches.	
9	Permet de regrouper les tâches de même nature pour la journée en cours.	
10	Est capable d'insérer des fichiers *Word, Excel, PDF*, etc., dans les tâches.	
11	Peut annoter des tâches avec les fonctions d'*édition*, *tableau*, *puces*, etc.	
12	Permet de changer le contenu d'un courriel (mots-clés) ou d'étiqueter des mots-clés avant de le classer.	
13	Permet le partage des calendriers et autres dossiers (avec *Exchange* ou son équivalent).	
14	Permet d'assigner une tâche à quelqu'un d'autre.	
15	Peut être synchronisé à un téléphone intelligent ou à une tablette.	
16	Permet de créer des liens hypertextes vers des documents externes (tableaux, échéanciers, etc.).	
17	Est capable d'intégrer la gestion des projets.	

Toutes ces fonctionnalités sont nécessaires pour que votre logiciel de gestion du temps soit votre véritable tableau de bord.

Calendrier ou tâche ?

Beaucoup de personnes sont tentées d'utiliser la fonction « Calendrier » pour y inscrire leurs tâches. Cette tentation vient peut-être du fait que peu de gens savent bien utiliser la fonction « Tâches ». Ou encore, des anciens agendas papier, car bien des gens utilisaient à l'époque un agenda qui présentait une semaine sur deux pages, ce qui les orientait par la force des choses vers la fonction « Calendrier ».

Quoi qu'il en soit, **ne mettez pas vos tâches dans votre calendrier** ! Vous pourriez réserver une plage de temps dans votre calendrier pour réaliser une tâche ou un groupe de tâches, c'est-à-dire prendre rendez-vous avec vous-même. Mais les fonctions « Rendez-vous » et « Tâches » n'offrent pas le même dynamisme. Pourquoi ?

- Vous ne pouvez pas inscrire un grand nombre de tâches dans votre calendrier. Imaginez que vous deviez donner cinq brefs coups de téléphone qui devraient vous prendre une quinzaine de minutes au total. En inscrivant ces appels en tant que rendez-vous, ils occuperaient une plage de deux heures et demie sur votre calendrier.
- Vous obtiendriez ainsi une mauvaise lecture de votre emploi du temps. Votre journée semblerait surchargée.
- Si une tâche inscrite au calendrier n'est pas exécutée au moment prévu, elle ne sera pas automatiquement reportée au lendemain. C'est le grand avantage du dynamisme des tâches : si vous ne les exécutez pas et omettez de les déplacer, elles suivront les jours suivants.
- Il est impossible de réellement consigner toutes vos tâches dans le calendrier.
- Si vous partagez votre calendrier avec des collègues, la coordination des réunions de travail devient impossible parce que les courtes tâches bloquent plus d'espace qu'elles n'en requièrent réellement.

Cependant, je tiens à le répéter, rien ne vous empêche de bloquer des plages de temps pour l'exécution de certaines tâches ou d'un travail. Vous *devez* même le faire !

Exemple d'utilisation

Les captures d'écrans suivantes qui représentent ma journée de travail d'aujourd'hui illustrent ce que je veux dire.

La première capture (voir à la page 66) illustre l'ensemble de ma journée. D'abord une plage de temps de deux heures pour la rédaction de cet ouvrage. Personnellement, je suis plus efficace en rédaction le matin : c'est donc ma première activité. C'est aussi ma priorité de la journée en ce sens que c'est ma tâche la plus importante. Cette tâche apparaît aussi dans ma liste de tâches. Et en ouvrant cette tâche, la rédaction du livre, on constate que celle-ci est traitée sous forme de projet. C'est-à-dire que la tâche est séquencée en étapes : c'est ma feuille de route. La tâche me permet aussi de gérer mes communications avec mon rédacteur, celui qui corrige, vérifie et termine l'ouvrage. C'est la raison pour laquelle des courriels et des documents sont insérés dans la tâche. Aujourd'hui, je dois exécuter une étape de rédaction. Si, par contre, mon action du jour ne consistait qu'à faire un suivi ou une rapide relecture d'un chapitre, je n'aurais pas bloqué une plage de temps dans mon calendrier pour ce faire.

Je me consacrerai ensuite à diverses tâches qui n'ont pas besoin d'être assignées à des heures précises. Il importe seulement qu'elles soient faites aujourd'hui. Les tâches de ma catégorie ***1. Personnalisation de privé*** sont très importantes et seront donc traitées quand ma période de rédaction sera terminée. Elles passent en premier et c'est pourquoi la catégorie est précédée d'un 1 afin qu'elle apparaisse au haut de ma liste.

Puisque beaucoup de tâches du jour dans ma catégorie ***Plan stratégique 2014*** consistent en des suivis, je n'ai pas à considérer une plage de temps précise pour leur exécution.

En fin de journée, j'ai aussi bloqué une plage de temps dans la section calendrier pour mes tâches de préparation de cours qui sont également dans ma liste de tâches. Comme elles exigent moins de concentration de ma part, je peux les accomplir en fin de journée. Mais elles demeurent tout de même très importantes, évidemment !

Tout au long de la journée, je recevrai des courriels et j'aurai certainement quelques demandes de clients, quelques petites urgences à régler. Bien sûr, j'ai désactivé les alertes à la réception des courriels. Je les traiterai à quelques reprises au cours de la journée en m'assurant chaque fois de vider ma boîte de réception (je reviendrai sur l'importance de cette exigence au chapitre 18). Je n'ai pas non plus planifié des tâches pour occuper l'ensemble de ma journée puisque je dois laisser du temps pour les éléments nouveaux. Il y aura des imprévus, c'est prévisible !

Première capture d'écran, ma journée d'aujourd'hui :

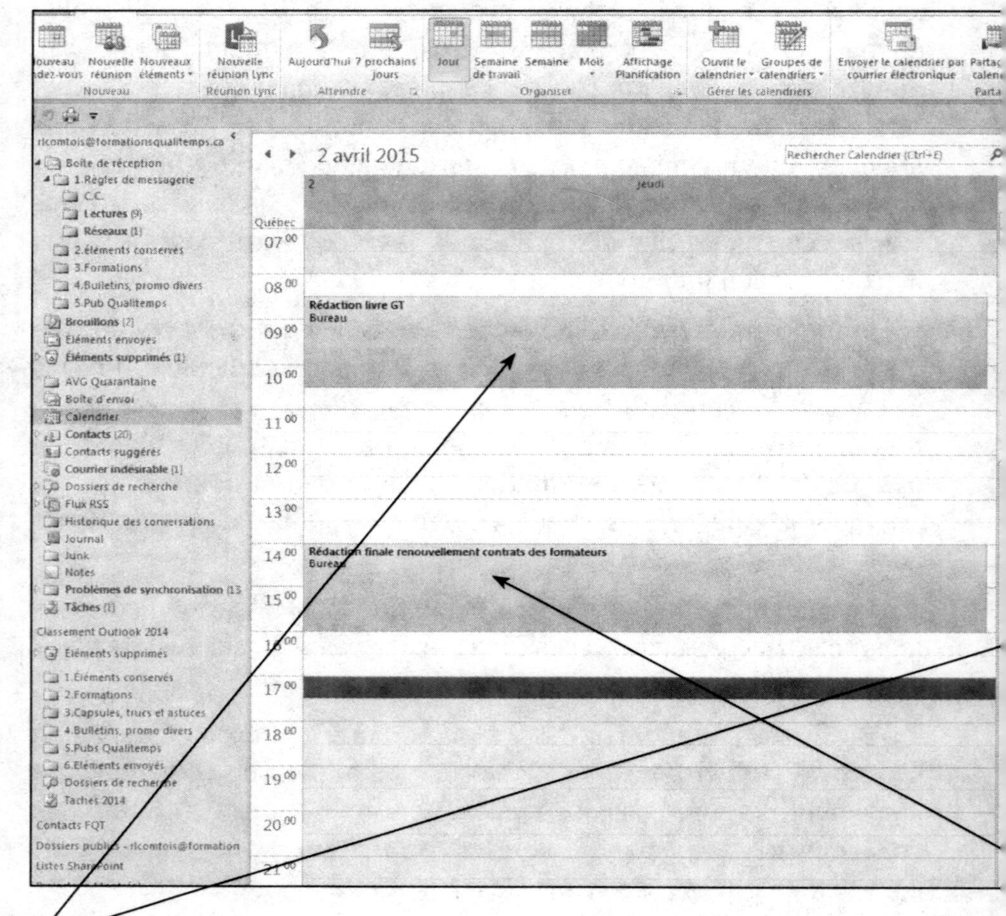

J'ai bloqué une plage de temps pour exécuter une partie de mon projet, la rédaction du livre sur la gestion du temps, qui est aussi consigné sous forme de tâche, évolutive celle-là.

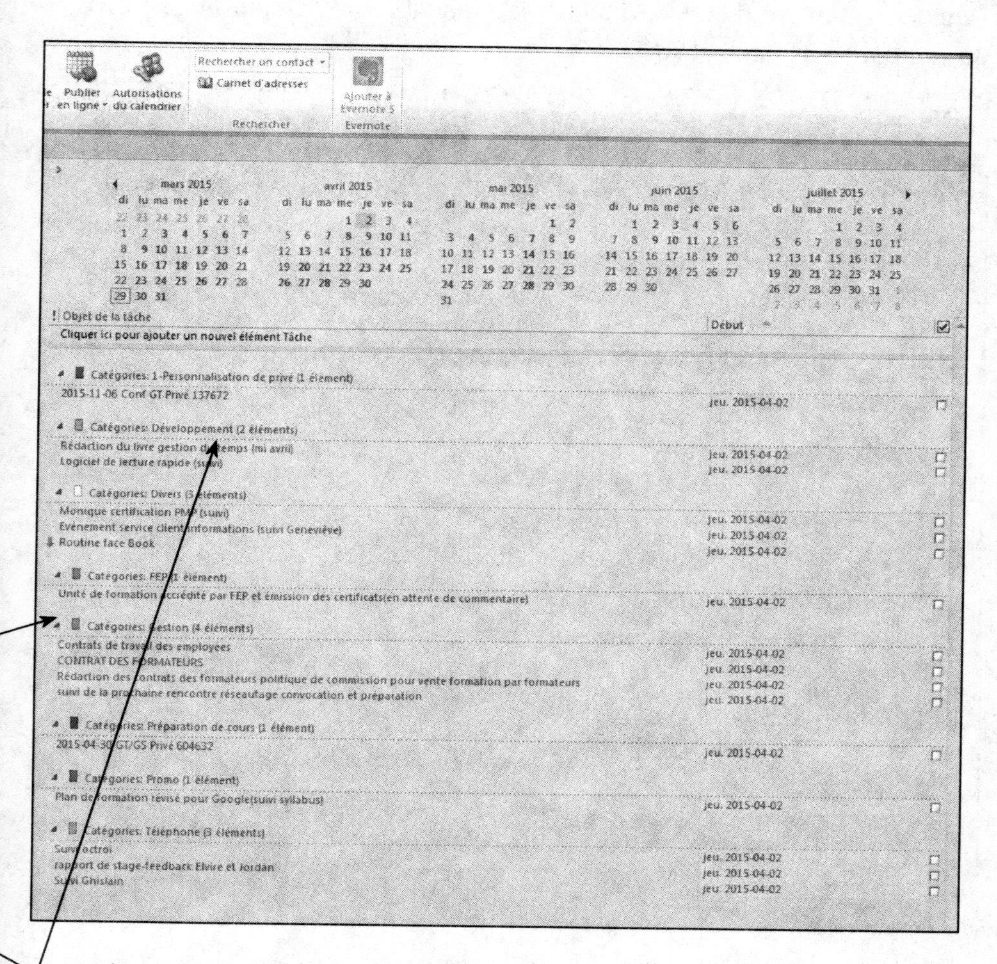

J'ai aussi réservé une plage de temps pour exécuter mes quatre tâches de préparation de cours qui sont, elles, des tâches individuelles regroupées dans la même catégorie.

Deuxième capture d'écran, la tâche de rédaction du livre sur la gestion du temps :

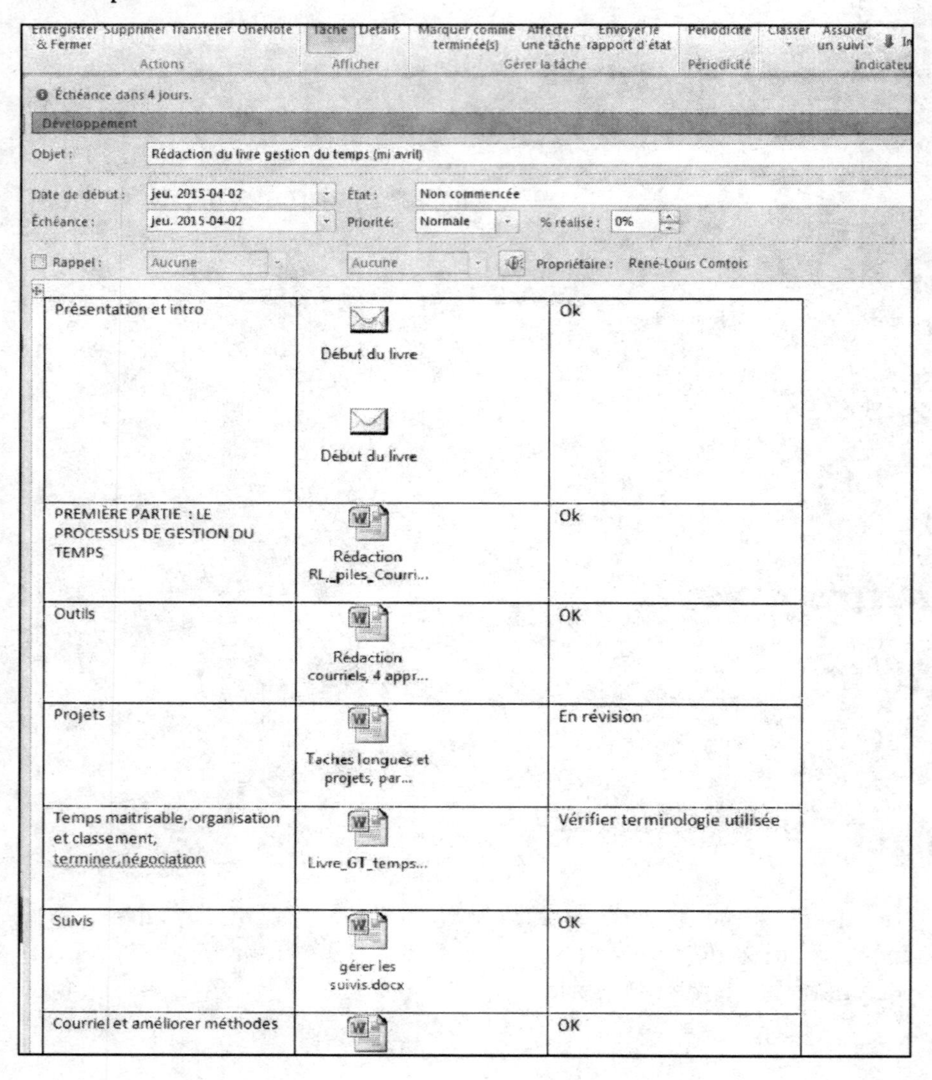

Enregistrer & Fermer | Supprimer | Transférer | OneNote | Tâche | Détails | Marquer comme terminée(s) | Affecter une tâche | Envoyer le rapport d'état | Périodicité | Classer | Assurer un suivi

Actions | Afficher | Gérer la tâche | Périodicité | Indicateu

Échéance dans 4 jours.

Développement

Objet : Rédaction du livre gestion du temps (mi avril)

Date de début : jeu. 2015-04-02 — État : Non commencée

Échéance : jeu. 2015-04-02 — Priorité : Normale — % réalisé : 0%

Rappel : Aucune — Aucune — Propriétaire : René-Louis Comtois

Présentation et intro	Début du livre Début du livre	Ok
PREMIÈRE PARTIE : LE PROCESSUS DE GESTION DU TEMPS	Rédaction RL,_piles_Courri...	Ok
Outils	Rédaction courriels, 4 appr...	OK
Projets	Taches longues et projets, par...	En révision
Temps maitrisable, organisation et classement, terminer,négociation	Livre_GT_temps...	Vérifier terminologie utilisée
Suivis	gérer les suivis.docx	OK
Courriel et améliorer méthodes		OK

Ma capture d'écran ne montre pas l'ensemble de la tâche. Sinon, vous auriez vu plus bas la suite de mon plan de rédaction. Ce tableau est ma feuille de route de la tâche/projet selon ma première analyse: il peut, bien sûr, évoluer en cours de route. Je reviendrai un peu plus sur ce type de tâche dans le prochain chapitre qui traite des tâches longues et des projets.

Date de début et date de fin

Pour chacune de mes tâches, je décide du moment où je veux la compléter. Les agendas électroniques offrent habituellement l'option d'inscrire une date de début et une date de fin. Lorsqu'une tâche s'étale sur quelques jours, il semblerait logique de l'inscrire avec deux dates différentes pour le début et l'échéance. Malheureusement, tous les logiciels (à ma connaissance) fonctionnent très mal si les deux dates sont différentes.

Lotus, par exemple, ne considère que la date d'échéance. Vos tâches iront donc se placer à la date d'échéance. Comment ferez-vous pour en gérer les étapes?

Outlook, de son côté, considère uniquement la durée. Ainsi, si vous changez en cours de route la date de début, ce qui serait logique après avoir complété une étape, vous constaterez que la date d'échéance sera alors automatiquement repoussée d'autant de jours. De plus, si vous omettez l'une des étapes, votre logiciel vous avisera du retard seulement le lendemain de la date finale de la tâche, *lorsqu'il sera trop tard*. En fait, vous auriez certainement préféré être avisé le lendemain de la date réservée à la sous-tâche qui correspond à la réalisation de cette étape.

Il existe heureusement une solution. Elle semble illogique, mais c'est un truc qui fonctionne, selon mon expérience, avec tous les logiciels. Voici donc cette solution. Lorsque vous inscrivez une tâche dans votre agenda, assurez-vous que la date de début est toujours la même que la date de fin. Si la date d'échéance est différente de la date de début, comme c'est le cas des tâches qui s'étalent sur plusieurs jours, inscrivez la tâche à la date où vous avez planifié d'en exécuter une partie et inscrivez la date d'échéance dans l'objet de la tâche. La tâche *Rédaction du livre gestion du temps (mi-avril)* dans la capture d'écran précédente illustre bien comment ce truc fonctionne.

Plutôt que de vous demander quelle est la date de début et quelle est la date de fin, demandez-vous plutôt : *À quelle date la prochaine étape doit-elle être réalisée ?*

Manipulez vos tâches en changeant la date de début seulement. Au fur et à mesure que la tâche évolue, vous n'avez qu'à changer la date de début pour inscrire la date de la prochaine action : la date d'échéance changera automatiquement puisque le logiciel s'arrangera pour que la durée demeure la même.

Les rappels

J'aimerais terminer ce chapitre sur l'utilisation des outils de gestion du temps par une réflexion sur le mot *rappels*.

Les *tâches* sont souvent appelées des *rappels* dans le langage populaire. La confusion est compréhensible puisque plusieurs logiciels ou applications nomment *Rappels* la fonction *Tâches*.

Quelle est la différence entre ces deux termes, tâches et rappels ? Une tâche est une activité (un travail ou une partie d'un travail) que j'ai décidé d'accomplir un jour donné. J'ai planifié cette tâche pour une journée précise et je ne veux pas y penser avant.

Pour moi, un rappel a une tout autre connotation. On active généralement un rappel pour ne pas oublier une tâche en particulier. Activer un rappel sur une tâche plutôt qu'une autre signifie-t-il que cette dernière peut être oubliée ? Et puis, comment peut-on prévoir que le rappel devra survenir précisément à telle heure de telle journée ? Pas étonnant que les rappels soient constamment repoussés ! Tout cela fait penser à la fonction *Sommeiller* (*Snooze* en anglais) du réveille-matin que certains activent à répétition. Je rencontre même souvent des gens qui programment le rappel quelques jours avant la date d'exécution prévue. En fait, on pourrait dire que c'est la date à laquelle ils désirent commencer à reporter la tâche...

La liste de tâches de plusieurs individus est un immense fourre-tout parsemé de rappels qui surgissent à tout moment un peu au hasard. L'image que j'en retiens est celle d'un individu qui n'a rien à faire et qui attend... et tout à coup – *ping!* – un rappel sonne et il se met à l'œuvre.

Une liste de tâches bien structurée et planifiée est beaucoup plus qu'une liste de rappels. C'est un plan de travail. Bien sûr, il peut être utile de programmer à l'occasion un rappel pour, par exemple, rappeler telle personne à 15 h précises. Mais il sera beaucoup plus efficace d'ouvrir et de regarder attentivement votre plan de travail le matin, de valider l'ordre et la priorisation de vos tâches et de procéder systématiquement à leur exécution en sachant que vous n'oublierez rien.

***

Voici quelques conseils pour choisir votre logiciel de gestion du temps et en optimiser l'utilisation.

- ✓ Choisissez d'utiliser un seul agenda, préférablement électronique.
- ✓ Assurez-vous que votre logiciel possède une fonction *Tâches* performante.
- ✓ Investissez le temps nécessaire pour maîtriser à fond votre logiciel.
- ✓ S'il le permet, configurez votre logiciel de façon à pouvoir visualiser vos tâches du jour et votre calendrier dans le même visuel.
- ✓ Manipulez, pour en modifier la date, vos tâches avec la date de début et assurez-vous que les dates de début et de fin sont toujours les mêmes.
- ✓ **Avec un agenda électronique**: lorsque vous inscrivez une tâche, assurez-vous que la date de début est toujours la même que celle de fin.
- ✓ **Avec un agenda électronique**: si la date d'échéance est en réalité différente de la date de début, inscrivez la réelle date d'échéance dans l'objet ou dans les notes de la tâche.
- ✓ Si votre logiciel le permet, attribuez une catégorie à vos tâches.
- ✓ Si votre logiciel le permet, regroupez vos tâches par catégories dans le visuel des tâches du jour. Ainsi, vous pourrez regrouper

vos tâches de même nature comme je le recommande dans le chapitre 19.

- ✓ N'inscrivez pas vos tâches dans votre calendrier, car vous le surchargeriez et perdriez le dynamisme de la fonction *Tâches*.
- ✓ Bloquez des plages de temps afin d'effectuer certaines tâches ou activités. Prenez des rendez-vous avec vous-même.

10

Comment gérer vos tâches longues et vos projets

La discipline à laquelle on s'astreint en écrivant les choses est le premier pas vers leur réalisation. Lorsque l'on couche ses idées sur du papier, on est tenu de se pencher sur les détails. Il est ainsi plus difficile de se leurrer… ou de leurrer les autres.

Lee Iacocca

La gestion des tâches longues et des projets est un autre défi important en gestion du temps. En effet, il faut une excellente méthode de gestion du temps pour intégrer l'exécution, le suivi et le contrôle de ce type d'activités parmi l'ensemble de vos tâches courtes, surtout dans un contexte où vous serez bombardé par toutes sortes d'imprévus et de petites urgences.

« J'ai de la difficulté à évaluer le temps requis » est une expression répandue qui trahit grandement le manque de méthode adaptée à ce genre de tâches ou de petits projets. Généralement, ce constat découle davantage d'un manque d'analyse de la tâche qui est, dans la plupart des cas, composée d'un ensemble de plus petits livrables.

Par exemple, la remise d'un rapport d'analyse peut exiger une recherche préliminaire, une consultation auprès de différents experts et parties prenantes, quelques étapes de rédaction et d'approbation, etc.

Pour planifier la réalisation d'un tel projet, il sera donc essentiel de réfléchir et d'identifier toutes ces étapes, en réalité de nombreux petits livrables, afin de dresser une feuille de route qui sera intégrée à votre outil de gestion du temps. J'utilise l'expression « feuille de route » parce qu'elle représente bien son utilité. Évidemment, cette feuille de route doit être informatisée et incorporée à la tâche qu'elle sert à gérer.

Une autre difficulté que bien des gens éprouvent avec la gestion des tâches longues et des projets découle du fait que plusieurs confondent deux termes bien différents : la **durée** et l'**effort**.

Prenons un exemple. Supposons que Pierre-Luc et Stéphanie, sa conjointe, décident d'aller en vacances pendant trois semaines en Italie. Ils en discutent depuis longtemps et ils aimeraient séjourner une semaine à Rome, une semaine en Toscane et une semaine sur la côte Adriatique. Ils ont aussi décidé de loger dans un lieu fixe dans chacun de ces endroits.

Quand j'utilise cet exemple dans une formation et que je demande aux participants combien de temps il faudrait consacrer à la préparation d'un tel voyage, certains diront de 12 à 16 heures, d'autres l'évalueront à environ deux mois alors que d'autres estimeront que c'est impossible à dire.

En fait, les premiers parlent de l'effort, c'est-à-dire le temps de travail requis, alors que le deuxième groupe parle de la durée sur laquelle s'étendront les préparatifs, tandis que ceux du troisième groupe ne se risquent pas à répondre, car la tâche est trop vaste et trop d'éléments sont indéfinis. Ces derniers ont d'ailleurs tout à fait raison !

Si vous vouliez aborder cette tâche ou ce petit projet comme un parfait gestionnaire du temps, voici comment vous vous y prendriez. Vous identifieriez d'abord toutes les étapes à accomplir en essayant d'évaluer le temps requis pour l'exécution de chacune d'entre elles : c'est la première étape de la planification.

Projet : préparer notre voyage en Italie	**➢ Date de départ : 20 septembre 2015** **➢ Date de retour : 11 octobre 2015**		
Tâches	**Responsable**	**Temps requis**	**Date prévue**
Valider ensemble le choix des régions et distribuer les rôles (réunion de départ).	Pierre-Luc et Stéphanie	1 h 30	30 juin
Acheter les billets d'avion (prévoir validation avec conjoint).	Stéphanie	1 à 2 h	Semaine du 1er juillet
Faire un premier repérage des différents gîtes ou hôtels possibles.	Pierre-Luc	4 à 6 h	Semaine du 7 juillet
Rédiger un rapport avec quelques propositions de gîtes pour réunion avec Stéphanie.	Pierre-Luc	1 h	Semaine du 14 juillet
Choisir ensemble les gîtes ou hôtels.	Pierre-Luc et Stéphanie	2 h	26 juillet
Louer la voiture.	Stéphanie	1 h	Semaine du 28 juillet
Contracter les assurances de voyage.	Stéphanie	1 h	Semaine du 28 juillet
Aviser parents et amis.	Pierre-Luc et Stéphanie	2 h	Semaine du 8 septembre
Prendre les dispositions pour l'entretien de la maison, etc.	Pierre-Luc	2 h	Semaine du 8 septembre
Compléter les bagages, etc.	Pierre-Luc et Stéphanie	4 h	Semaine du 8 septembre
Total de l'effort (travail requis) : 22,5 heures **Durée totale du projet « préparer notre voyage en Italie » : environ deux mois et demi**			

Je ne suis évidemment pas en train de vous conseiller de planifier vos voyages de cette façon. Cette mise en situation sert simplement d'exemple de découpage d'une tâche longue. En la découpant ainsi, en lui donnant un niveau de granularité qui permet d'estimer le temps de travail requis pour chacune des étapes (l'effort) et en déterminant qui est la personne responsable de chaque étape (et son coût, le cas échéant), il devient beaucoup plus facile d'évaluer l'ensemble de cette tâche.

Il sera aussi beaucoup plus facile de maîtriser l'exécution et le suivi de ce projet si la feuille de route qui a été développée est intégrée à l'outil de gestion du temps.

Le découpage en tâches successives

La différence essentielle entre une tâche longue et une tâche courte réside généralement dans le niveau de complexité. Une tâche longue est souvent composée de plusieurs étapes successives qui mènent à son achèvement. Pour gérer vos tâches longues (ou vos projets), vous devez donc, en premier lieu, identifier toutes les tâches secondaires qu'elles nécessitent et évaluer le plus précisément possible le temps requis pour chacune de ces sous-tâches. Une fois cet exercice terminé, vous devez intégrer la gestion, l'exécution et le suivi de cette tâche à votre **unique** outil de gestion du temps.

Découpage d'une tâche complexe avec un agenda électronique

Si vous utilisez un agenda électronique Outlook, Lotus ou Wise, vous ouvrez simplement une tâche dans votre agenda et y inscrivez le nom de votre projet dans la rubrique «Objet». Ceci facilite les recherches futures.

Vous procédez ensuite au découpage de la tâche en documentant les étapes dans la boîte de texte qui sert normalement à prendre des notes, préférablement sous forme de tableau. Sélectionnez la date à laquelle votre tâche ou votre projet doit commencer dans le champ «Date de début» et sélectionnez la même date dans «Date de fin». Puis, inscrivez la date de fin réelle (l'échéance) dans l'objet ou dans la boîte de texte (voir à cet effet le chapitre précédent). Par la suite, déplacez votre tâche au fur et à mesure que les étapes sont complétées en modifiant simplement, chaque fois, la date de début pour qu'elle corresponde à la date que vous avez choisie pour l'exécution de la prochaine sous-tâche. N'oubliez pas: pour des raisons techniques expliquées plus haut, la date de début doit toujours être la même que la date de fin.

Si la prochaine étape de votre tâche ou projet requiert un plus grand effort, donc plus de temps pour la réaliser, bloquez aussi du temps pour cette étape dans votre calendrier. Cependant, ne le faites pas à l'avance pour toutes les étapes, car vous passeriez votre temps à déplacer les dates.

Exemple de tâches découpées avec Outlook :

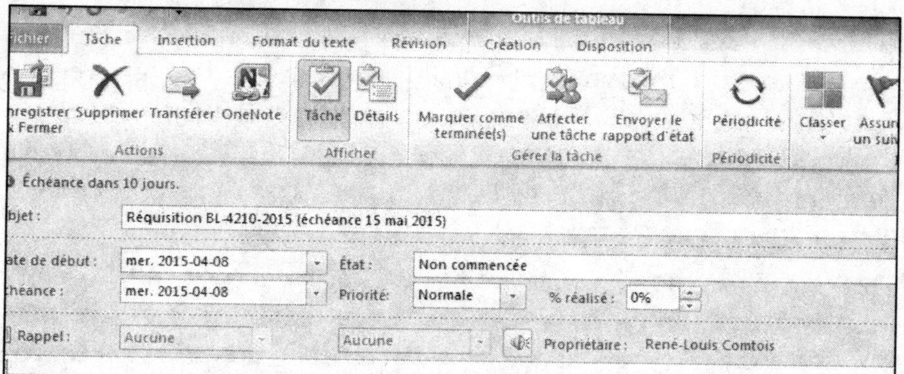

ichier | Tâche | Insertion | Format du texte | Révision | Création | Disposition

nregistrer & Fermer | Supprimer | Transférer | OneNote | Tâche | Détails | Marquer comme terminée(s) | Affecter une tâche | Envoyer le rapport d'état | Périodicité | Classer | Assur un sui

Actions | Afficher | Gérer la tâche | Périodicité

Échéance dans 10 jours.

bjet : Réquisition BL-4210-2015 (échéance 15 mai 2015)

ate de début : mer. 2015-04-08 État : Non commencée

chéance : mer. 2015-04-08 Priorité: Normale % réalisé : 0%

Rappel : Aucune Aucune Propriétaire : René-Louis Comtois

Demandeur	Siège social	
Tâches	**Notes**	**État**
Valider la date de livraison et la priorité		
Valider le besoin avec le demandeur		
Prendre entente pour une date de livraison		
Faire l'analyse et le document d'analyse		
Présenter l'analyse au demandeur et autres parties prenantes		
Effectuer les modifications requises en mode test		
Effectuer les tests et validations		
Produire document de test		
Obtenir les autorisations auprès des parties prenantes		
Effectuer les modifications requises en mode production		
Informer les parties prenantes		
Valider l'implantation		

Considérez l'effort lié à certaines séquences

En introduisant la feuille de route dans la fonction *Tâches* de votre agenda, vous pourrez suivre plus facilement chacune des étapes et obtenir en un coup d'œil l'historique des tâches exécutées et une vue d'ensemble de celles qui sont à venir. La tâche s'affichera aussi à la date prévue pour la prochaine action et pas avant, vous évitant ainsi de la manipuler inutilement.

Par contre, la fonction *Tâches* ne tient pas compte de l'effort requis pour la sous-tâche, c'est-à-dire du temps requis pour l'accomplir. Lorsque vous prévoyez qu'une sous-tâche sera d'assez longue durée, vous devez bloquer une plage de temps réaliste dans la section *Calendrier* de votre agenda. Vous prendrez en quelque sorte rendez-vous avec vous-même. Ce type de planification est celui du moyen terme qui consiste à vérifier les tâches planifiées pour la semaine prochaine ou les deux semaines à venir (voir le chapitre 29), valider qu'elles sont réalistes et bien distribuées, puis à bloquer des plages de temps pour celles qui prendront plus de temps.

Pour moi, toute tâche qui peut être séquencée en différents petits livrables devient un projet. Il peut s'agir de la préparation d'une réunion, de l'embauche d'un employé, d'achats importants, de la rédaction de rapports, etc.

Pour des projets d'aussi petite envergure, il est évident qu'il serait futile de bâtir la structure de découpage du projet (WBS), de faire un diagramme de Gantt, de calculer les risques, etc., comme on le fait pour de plus gros projets. Il convient donc d'utiliser le bon outil et la bonne méthode selon la nature et l'envergure du projet. Dans le cas des projets peu complexes, le simple découpage en quelques tâches dans Outlook peut être suffisant.

Les projets plus complexes

La gestion des tâches des projets plus complexes nécessite d'autres outils. Ces tâches peuvent avoir été créées après l'élaboration d'un diagramme de Gantt dans un logiciel de gestion de projets ou simplement dans Excel, lors du processus de planification sur le projet. Dans ce dernier cas, il est intéressant de lier le diagramme en question à l'aide d'hyperliens dans les tâches. Pour les projets plus complexes, l'utilisation d'un véritable logiciel de gestion de projets serait appropriée.

Cependant, il demeurera essentiel, même dans ce cas, d'inscrire les tâches ou les suivis dont vous êtes responsable dans votre propre outil de gestion du temps. ***Les outils de gestion de projets ne sont pas des outils de gestion du temps***. Le simple fait de ne pas intégrer l'ensemble de vos activités à votre unique outil de gestion du temps nuira sérieusement à la gestion de vos projets.

Cette saisie finale, la consignation des tâches du projet dans l'outil de gestion du temps, est malheureusement souvent perçue comme une perte de temps, une double saisie. Il s'agit pourtant d'un geste-clé lié à la maîtrise des processus d'exécution et de contrôle de la gestion de projets.

***

Voici quelques conseils afin de bien gérer vos tâches longues et vos projets.

- ✓ Prenez l'habitude de toujours découper vos tâches longues et vos projets en étapes successives et d'évaluer le temps requis pour chacune de ces étapes.
- ✓ Créez des modèles de plan de travail ou des feuilles de route pour les tâches répétitives.
- ✓ Lorsque la prochaine étape d'un travail demande un temps plus long, bloquez une plage horaire dans votre calendrier pour vous en acquitter.
- ✓ **Agenda papier** : inscrivez chacune des étapes de vos travaux longs ou de vos projets sur une feuille de suivis. Inscrivez ensuite la première tâche à faire dans votre agenda et insérez la feuille de suivis dans le dossier du projet. Procédez ainsi jusqu'à la fin du projet.
- ✓ **Agenda électronique** : prenez l'habitude d'ouvrir une tâche dans Outlook, Lotus, Wise ou un autre logiciel et d'y documenter chacune

des étapes de vos travaux longs ou de vos projets dans l'espace réservé aux notes.

- ✓ **Agenda électronique**: les dates de début et de fin de la tâche doivent équivaloir à la date de la prochaine action. La date réelle d'échéance doit être dans l'objet ou dans les notes.
- ✓ **Agenda électronique**: assurez-vous que le titre du projet est toujours inscrit dans la tâche pour faciliter d'éventuelles recherches.
- ✓ **Agenda électronique**: si un projet est plus complexe, n'hésitez pas à créer plusieurs tâches pour le même projet.
- ✓ Si vous utilisez un outil de gestion de projets, prenez le temps de consigner les tâches du projet dont vous êtes responsable dans votre propre outil de gestion du temps. Assurez-vous que le niveau de détail est adéquat afin de bien maîtriser l'exécution et le contrôle de la tâche.

11

Mise en place rapide de votre système

Le seul travail que l'on puisse commencer par le haut, c'est creuser un trou.

Anonyme

Voyons maintenant comment mettre en place votre processus de gestion du temps, en tenant compte de votre réalité et de votre situation de départ. Mon objectif dans ce chapitre-ci est d'expliquer comment franchir la première étape, la mise en place de votre système. Une fois ce processus établi, j'ajouterai plusieurs chapitres sur les outils et techniques spécifiques qui faciliteront le maintien et l'optimisation de votre système de gestion.

Par où commencer ?

Dans n'importe quel bureau, les informations écrites occupent une place prépondérante, quels que soient leurs supports. Réorganiser votre bureau suppose donc, avant toute chose, de réorganiser tous les éléments qui vous entourent et vous servent à accomplir votre travail.

Pour **rapidement** mettre en place votre nouveau système de gestion, il faut prendre à bras-le-corps tout ce qui est accumulé dans toutes vos piles. Ma méthode vous aidera à le faire en moins de temps que vous ne le pensez. Ensuite, vous pourrez bénéficier immédiatement de votre nouveau système.

Vous avez peut-être quelques centaines de courriels dans votre boîte de réception. Plusieurs en ont des milliers. Pour ces derniers, le principe selon lequel il faut vider sa boîte de courriel chaque soir peut sembler difficile, voire irréalisable ! Mais c'est réalisable et souhaitable, comme je l'expliquerai au chapitre 18, *Gérez efficacement vos courriels*.

Alors, que faire de tous ces courriels qui surchargent votre boîte de réception ? Il ne s'agit pas, bien sûr, de commencer à classer chacun d'eux. Cela ne serait pas une approche réaliste et serait également une perte de temps.

Même chose pour tous les documents papier qui vous entourent. Classer tous ces documents, un par un, dans les bons classeurs et les bons dossiers serait une tâche titanesque qui risquerait fort d'échouer et de mener à une aggravation de l'accumulation de documents.

Opérez un premier tri

Je vous propose plutôt de faire un premier tri très rapide, en séparant ce qui est actif de ce qui est inactif. Quelle différence y a-t-il entre un document actif et un document inactif ?

Dans le contexte de la gestion du temps, un **document actif** (quelle que soit sa nature) est un document qui requiert une action. Cela peut être une lettre qui demande une réponse, un courriel qui contient une tâche à accomplir, un post-it sur lequel on a noté le numéro de téléphone de quelqu'un qu'il faut rappeler, une mention dans votre cahier de notes sur une idée à développer, un article à lire le plus tôt possible, un projet à développer, un suivi à exécuter, etc. Comme vous l'aurez remarqué, chaque exemple que je viens de vous donner comporte un verbe d'action : *à faire, à rappeler, à développer, à lire,* etc.

À l'inverse, un **document inactif** est un document qui ne suppose pas de tâche à réaliser, ni aujourd'hui ni plus tard. Ces documents ont simplement une valeur de référence.

Commencez en faisant deux piles distinctes : documents actifs et documents inactifs, sans les planifier ou les prioriser. N'oubliez surtout pas le bac de recyclage et soyez généreux avec lui, surtout si vous avez tendance à tout garder. Attention aux « au cas où », une catégorie qui tend à prendre beaucoup de place en gestion documentaire. Souvenez-vous que nous accumulons tous beaucoup de doublons et que l'information devient vite obsolète.

À la fin de l'exercice, vous aurez donc une première pile de documents disparates, dossiers volumineux, notes de service, qui n'ont qu'une chose en commun : **ils comportent une action future**. Vous aurez aussi une autre pile qui contient des documents de référence.

Je vous conseille de reporter le classement des documents inactifs à un peu plus tard. Ils ne sont pas prioritaires pour le moment. Vous devez d'abord gérer les documents actifs, puisque le but de cette première étape est de rassembler rapidement tout ce qui doit être planifié.

Vous devez faire la même chose avec tous vos courriels : séparer ceux qui sont actifs (qui comportent une action future) de ceux qui sont inactifs (qui doivent être supprimés ou classés). Une boîte de réception n'est pas un dossier de classement. On doit la comparer à une boîte aux lettres qui doit être vidée tous les jours. Le classement des courriels est expliqué en détail au chapitre 18.

Voici comment procéder si vous avez une grande quantité de courriels dans votre boîte de réception :

1. Supprimez d'abord tout ce que vous pouvez supprimer, en commençant par les courriels que vous avez reçus parce qu'on vous a mis en copie conforme. Je n'ai pas dit de les cacher ailleurs « au cas où », mais de les supprimer. Voilà !

2. Identifiez ensuite tous les courriels qui contiennent des actions futures en activant, si ce n'est déjà fait, l'indicateur de suivi sur les courriels qui exigent des actions.

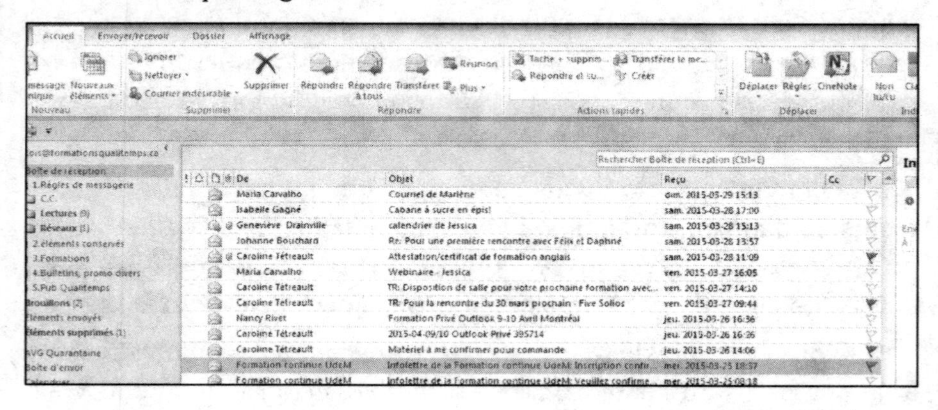

3. En cliquant dans le haut de la colonne du champ « Indicateur », groupez tous vos courriels qui comportent un indicateur de suivi.

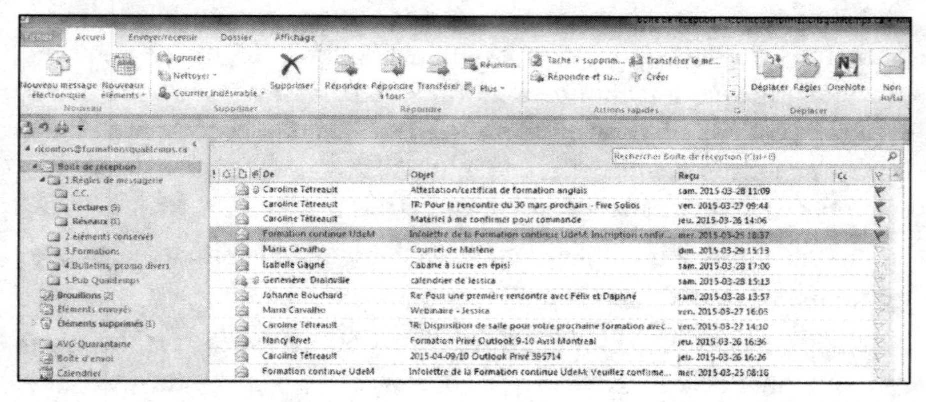

4. Créez un dossier de classement intitulé ***À classer*** ou ***Éléments conservés*** dans votre arborescence (panneau de gauche).
5. Glissez tous les courriels qui n'ont pas d'indicateurs (ceux qui sont inactifs) dans votre dossier ***À classer*** ou ***Éléments conservés***.
6. Il ne reste dans votre boîte de réception que les courriels qui supposent des actions futures.

   Voilà, votre boîte de réception est presque vide !

UNE FOIS CETTE ÉTAPE COMPLÉTÉE, VOUS AUREZ RASSEMBLÉ TOUT CE QUI DOIT ÊTRE PLANIFIÉ.

Il ne vous reste plus qu'à appliquer la méthode du *quand* à tout ce qui est actif en assignant une date d'exécution à toutes les tâches et tous les suivis éparpillés dans vos piles de documents papier et vos courriels. Vous êtes maintenant en train de répartir votre charge de travail de la façon que j'ai décrite précédemment.

Quand vous en arriverez à attribuer une date d'exécution aux tâches contenues dans vos courriels, essayez quelque chose : au lieu d'utiliser l'indicateur de suivi comme vous en avez peut-être l'habitude, créez plutôt des tâches en insérant ou en déplaçant vos courriels dans des tâches. Vous verrez que cette méthode est beaucoup plus efficace. Au cours de cette étape, vous libérerez complètement votre boîte de réception jusqu'à ce qu'elle soit vide.

Lorsque toutes les tâches reliées à vos documents papier seront consignées, classez les documents papier aux endroits où vous désirez les retrouver le jour où vous avez décidé d'accomplir la tâche. Puisque vous êtes maintenant certain de ne pas l'oublier, il est inutile que le document reste dans votre champ de vision.

Voilà, votre espace de travail est maintenant parfaitement dégagé !

***

Voici quelques conseils afin de mettre rapidement en place votre système de gestion des tâches et activités.

✓ Triez tous vos papiers en les séparant en deux piles : ceux qui sont actifs et ceux qui sont inactifs.

✓ Profitez de ce grand ménage pour éliminer tout ce qui est inutile.

✓ Rangez tous les documents inactifs ou mettez-les temporairement de côté.

- ✓ Poursuivez l'exercice avec votre boîte de réception de courriels en enlevant tous les courriels qui ne comportent pas d'action.
- ✓ Profitez de ce grand ménage pour supprimer tous les courriels inutiles.
- ✓ Si le nombre de vos courriels inactifs est trop grand pour les classer immédiatement, créez un sous-dossier *À classer* ou encore *Éléments conservés* et déplacez-les vers ce nouveau dossier.
- ✓ Planifiez maintenant toutes vos tâches, tout ce qui est actif, en les distribuant de façon réaliste.
- ✓ Planifiez aussi certains courriels. Transformez-les en tâches et évitez d'utiliser la fonction *Rappel* puisque la fonction *Tâches* est beaucoup plus performante.

12

Tenez compte de votre temps maîtrisable

Le présent n'est pas un passé en puissance, il est le moment du choix et de l'action.

Simone de Beauvoir

Je vous ai demandé plus tôt d'attribuer une date d'exécution à toutes vos tâches en cours, de les inscrire dans votre agenda à la date choisie et de classer à leur place les papiers qui accompagnent certaines tâches.

Lorsque vous distribuez ainsi l'ensemble de vos tâches et que vous leur attribuez un *quand*, vous devez faire preuve de réalisme. Vous ne pouvez pas inscrire sept ou huit heures de tâches à accomplir dans une seule journée.

Le coefficient de temps maîtrisable

La quantité de temps dont on dispose en réalité dans une journée pour exécuter les tâches planifiées s'appelle **le coefficient de temps maîtrisable**. Dans certaines situations, ce dernier pourrait même équivaloir à moins de trois heures par jour...

Pour comprendre cette notion, il suffit de bien faire la distinction entre le nombre d'heures de travail dans une journée et le nombre d'heures que vous pouvez consacrer à des tâches planifiées, ce que j'appelle le temps maîtrisable.

Chez la plupart des individus, le temps maîtrisable ou planifiable est d'environ **50 % à 70 %** d'une journée de travail. Ce pourcentage équivaut au temps disponible pour réaliser les tâches qui figurent sur le plan d'action de la journée. La quantité de temps maîtrisable varie aussi en fonction du poste que vous occupez et du type d'entreprise dans laquelle vous travaillez. Disons que, généralement, plus vous êtes en relation directe avec la clientèle, plus celui-ci diminue. C'est pourquoi je dis au début de mes formations que *tout ce que nous verrons dans le cours s'applique à tous, mais à différents degrés.*

L'autre **30 % à 50 %** servira à gérer la nouveauté, à prendre et à retourner des appels, à répondre à des collègues et à accepter certaines demandes qui se présenteront et dont on devra s'acquitter dans la journée. Il faut donc accorder un certain pourcentage de temps aux nouveautés et aux imprévus.

Soyez réaliste

Pour bien planifier votre journée, il est nécessaire d'évaluer la portion de temps maîtrisable dont vous disposez dans celle-ci. Ce calcul n'a pas besoin d'être très précis et ne peut d'ailleurs pas l'être.

Ce chiffre vous aidera simplement à réfléchir, à faire preuve de réalisme et, surtout, à éviter une grave erreur: la surcharge de votre plan quotidien. Un plan irréaliste conduit trop souvent au découragement et à l'abandon de toute pratique de gestion du temps.

En planifiant et en rééquilibrant vos journées, vous serez peut-être tenté d'éliminer des tâches peu importantes ou de réduire le temps prévu pour accomplir certaines tâches dont la valeur ajoutée vous semble faible. En effet, le concept de temps maîtrisable vous incite à resserrer votre vigilance et à optimiser l'utilisation de votre temps. Faire preuve de réalisme ne signifie pas pour autant de planifier trop peu de son temps, un danger tout aussi grand, sinon pire.

Il faut vous assurer de planifier
une portion suffisante de votre temps...
car la nature a horreur du vide.

***

Voici quelques conseils pour mieux utiliser votre temps maîtrisable.

- ✓ Apprenez à bien évaluer votre coefficient de temps maîtrisable, car il varie en fonction du poste que vous occupez.
- ✓ Planifiez vos journées en fonction du temps dont vous avez la maîtrise.
- ✓ Évitez de surcharger votre plan quotidien, soyez réaliste.
- ✓ Ne laissez pas la nouveauté prendre plus de place qu'elle ne le mérite.

Deuxième partie

Techniques pour maximiser l'utilisation de votre temps

13

Les grandes habiletés en gestion du temps

On a toujours assez de temps quand on en fait un bon usage.

Goethe

Dans la partie précédente, j'ai exposé la méthode Qualitemps et nous avons vu en quoi consiste la maîtrise du processus de gestion du temps, la méthode du *quand*. C'est cette maîtrise qui permet de bien gérer et contrôler l'ensemble de nos tâches, de nos activités et de nos projets.

Je place ce processus au centre des habiletés requises pour bien gérer votre temps. C'est la base, l'assise même de cette compétence essentielle aujourd'hui, celle qui consiste à gérer efficacement votre temps.

Autour de ce processus orbitent toute une série d'habiletés qui consolident la maîtrise de votre temps. Certaines de ces habiletés sont simplement des gestes-clés, très simples à mettre en application et qui peuvent faire toute la différence à eux seuls.

Si vous adoptez la méthode Qualitemps, c'est-à-dire planifier toutes vos tâches en un seul endroit, je vous *déconseille* fortement d'y aller progressivement. Par exemple, si vous conservez vos outils actuels et essayez en plus la fonction *Tâches* de votre logiciel avant de décider de ce que vous ferez, vous créerez simplement un outil de travail supplémentaire, ce qui empirerait l'effet des piles. C'est d'ailleurs un écueil que je constate souvent dans mes séances de coaching postformations. Le but de la méthode est de simplifier, pas de compliquer les choses ! Il faut vraiment procéder d'un seul coup et le plus vite possible. Je vous assure aussi que vous constaterez très rapidement les gains que vous réaliserez.

Les habiletés qui suivent, quant à elles, n'ont pas besoin d'être mises en application ou améliorées toutes en même temps. En fait, plusieurs de ces éléments ont déjà été esquissés dans l'exemple de Nicole ou indirectement dans d'autres chapitres. Il est d'ailleurs probable que vous mettiez déjà certaines d'entre elles en application. Choisissez celles qui vous interpellent le plus et procédez progressivement. Les chapitres suivants expliqueront systématiquement chacune de ces habiletés et montreront comment les mettre en pratique ou les renforcer.

- Pour un espace de travail fonctionnel et un classement efficace ➠ *14. Soyez organisé.*
- Pour bien gérer la nouveauté et terminer ce que vous faites, faire une chose à la fois et ne jamais rien oublier ➠ *15. Terminez toujours l'action en cours tout en gérant la nouveauté.*
- Pour mieux gérer les attentes ➠ *16. Sachez négocier votre emploi du temps.*
- Pour être proactif ➠ *17. Planifiez vos suivis.*
- Pour que ce soit vous qui les gériez, et non l'inverse ➠ *18. Gérez efficacement vos courriels.*
- Pour améliorer votre efficience dans les tâches que vous accomplissez ➠ *19. À la recherche du temps perdu.*
- Pour vous assurer que votre emploi du temps correspond à vos activités à plus haut rendement ➠ *20. Prenez rendez-vous avec vous-même.*
- Pour une meilleure concentration au travail ➠ *21. Maîtrisez vos télécommunications.*
- Pour réduire l'un des pires grugeurs de temps au travail ➠ *22. Gérez vos communications internes.*
- Pour tenir compte des mécanismes humains ➠ *23. Facteurs à considérer dans la planification de votre temps.*

- Pour diminuer les maux causés par de mauvaises communications ➠ *24. Communiquez efficacement.*
- Pour faire faire sans avoir à refaire et pour mieux collaborer avec ceux qui possèdent moins bien l'art de déléguer ➠ *25. Savoir déléguer ou recevoir un mandat.*
- Pour être satisfait de ne plus remettre à demain ➠ *26. Évitez la procrastination.*

14

Soyez organisé

Nous sommes capables de défier les lois de la pesanteur, mais nous sommes souvent submergés par la paperasse.

Wernher von Braun

Connaissez-vous cette blague ? *On dit qu'un espace encombré témoigne d'un esprit encombré. Que dire d'un espace vide ?* Je préférerais remplacer cette dernière boutade par : « Que dire d'un espace organisé... ? »

Prendre le temps d'organiser ou de réorganiser son espace de travail n'est généralement pas vu comme une activité rentable. Beaucoup s'y attaquent en dehors des heures du travail le soir ou le week-end pour y parvenir. Pourtant, l'aménagement des lieux et des systèmes de classement peut grandement améliorer la productivité au sein d'une entreprise et entraîner des économies de temps substantielles. Si l'on ne sous-estimait pas autant le temps perdu à chercher dans les bureaux, l'organisation et le classement deviendraient rapidement plus importants.

SELON LE *WALL STREET JOURNAL*, LES EMPLOYÉS ET LES CADRES PERDRAIENT SIX SEMAINES PAR ANNÉE À CHERCHER DES OBJETS, DES PAPIERS OU DES DOCUMENTS !

Comment diminuer tout ce temps perdu ? C'est ce que nous verrons maintenant.

L'organisation d'un bureau comporte cinq grands aspects :

1. L'espace de travail de chaque individu ;
2. L'espace de travail commun ;
3. Le système de classement papier ;
4. Le système de classement informatique ;
5. Le classement des courriels.

En lisant ce qui suit, vous vous direz sans doute que tout cela découle du gros bon sens et que c'est bien évident. En fait, oui ça l'est : c'est ce qui fait la beauté de la chose. Mon principal but avec ce chapitre est de vous motiver, si nécessaire, à investir le temps nécessaire pour améliorer l'organisation de votre environnement de travail.

Votre espace de travail

> VOUS DEVEZ AMÉNAGER VOTRE BUREAU COMME S'IL S'AGISSAIT D'UNE CABINE DE PILOTAGE.

Lorsque vous vous mettez au travail, vous devriez pouvoir accomplir une tâche en entier sans devoir vous lever.

Réorganisez votre espace de travail

La meilleure façon d'entamer la réorganisation de votre espace de travail est parfois de tout sortir. Replacez ensuite les objets en les disposant selon leur fréquence d'utilisation et en conservant à portée de la main seulement ce qui est utilisé fréquemment. C'est d'ailleurs le moment idéal pour enlever tout ce qui est superflu.

***

Voici quelques conseils pour organiser ou réorganiser votre espace de travail.

- ✓ Commencez par visualiser votre espace de travail dégagé et zen.
- ✓ Videz votre bureau et replacez les objets en fonction de leur fréquence d'utilisation. Ce qui vous sert le plus souvent doit être placé le plus près de vous.
- ✓ Aménagez votre bureau comme s'il s'agissait d'une cabine de pilotage.
- ✓ Assurez-vous d'avoir à portée de la main (ou accessible rapidement) tout ce que vous utilisez pour votre travail.
- ✓ Éliminez tout ce qui encombre l'espace bureau de votre ordinateur et ne conservez que les raccourcis que vous utilisez régulièrement.
- ✓ Dotez-vous d'un deuxième écran (écran fractionné). L'utilisation d'un deuxième écran peut substantiellement augmenter votre productivité.
- ✓ Assurez-vous que vous pouvez atteindre facilement et rapidement un ou deux tiroirs de classeurs dans lesquels vous pourrez ranger les dossiers en cours ou les documents de référence que vous utilisez fréquemment.
- ✓ Réorganisez vos tiroirs et vos armoires de rangement. Accordez à chaque objet l'espace qui lui revient. Il est préférable de mettre moins d'objets dans un petit espace de rangement afin qu'ils soient tous visibles. Il ne faut donc rien empiler.
- ✓ Gardez toujours la surface de votre table de travail dégagée. Elle ne doit servir qu'au travail en cours.
- ✓ Chaque soir, prenez le temps de tout remettre en ordre avant de quitter le bureau.

L'espace de travail commun

Cette dimension de l'organisation est un peu plus complexe dans le cas de l'espace commun puisqu'elle concerne d'autres individus. Et, par surcroît, vous n'avez peut-être pas l'autorité requise pour mener un tel projet d'amélioration. Mais supposons, pour le moment, que vous l'ayez ou que vous puissiez tout au moins le suggérer.

Observez d'abord les lieux pendant quelques minutes. Des objets, des documents, de la publicité ou d'autres choses traînent-ils depuis un certain temps tout en ne semblant être utiles à personne ? Un ou des classeurs regorgent-ils de dossiers qui devraient être supprimés ou archivés ? Les documents de référence communs, si vous en utilisez, sont-ils à jour ? Vous arrive-t-il de ne pas savoir qui les utilise lorsque vous en avez besoin ? Et ainsi de suite...

Encore une fois, il s'agit d'y consacrer le temps nécessaire. Un peu de temps pour en épargner beaucoup !

Tenez-vous, dans votre équipe de travail, des réunions d'amélioration ? Encore faut-il prendre le temps de le faire, ce qui n'est pas forcément évident. Mais cela serait ô combien rentable ! L'amélioration des espaces de travail communs est un très beau thème pour une réunion d'amélioration parce qu'elle apportera probablement des bénéfices à tous les participants.

Quelques trucs pour une réunion d'amélioration efficace

1. Invitez les participants quelques jours à l'avance ; demandez-leur de se préparer en leur posant une question précise.
2. Formulez votre question sous une forme négative. Par exemple, ne demandez pas : *Comment pourrions-nous aménager l'espace commun pour gagner du temps ?* Demandez plutôt : *Quelles sont les sources de pertes de temps et de productivité dans nos espaces communs ?* Cette approche peut vous sembler déroutante, mais si vous allez trop vite vers la recherche de solutions, votre réunion se résumera à discuter de qui a proposé la meilleure solution. Il faut poser le diagnostic avant de chercher les solutions, c'est logique.
3. Au début de la réunion, accordez du temps aux participants pour qu'ils puissent poursuivre leur réflexion. Ils doivent continuer à énoncer leurs idées par écrit. Si vous avez suffisamment de participants, six et plus, créez des sous-groupes : vous vous assurerez ainsi de l'implication de tous. Donnez la consigne aux participants

d'identifier les problèmes sans chercher de solutions pour le moment.

4. Procédez ensuite à un tour de table systématique. Chaque personne énonce un élément de sa liste que vous, ou une autre personne, inscrivez sur un tableau visible par tous. Procédez ainsi jusqu'à ce que tous les participants aient rayé tous les éléments de leur liste.
5. Passez maintenant au remue-méninges : c'est le moment de chercher des solutions. À cette étape, vous devrez faire preuve de créativité. Vous constaterez sans doute que plusieurs idées se regroupent et que certaines seront plus faciles, moins chères ou plus rentables à mettre en application. Vous devrez peut-être choisir parmi toutes ces idées.
6. Élaborez un plan d'action (il pourrait aussi être fait lors d'une prochaine réunion).
7. Distribuez les tâches qui mèneront à la réalisation de l'idée d'amélioration (peut aussi être fait en groupe à l'occasion d'une réunion).
8. Assurez des suivis.
9. Prenez le temps, avec le groupe, d'apprécier les changements et de reconnaître le travail de celles et ceux qui auront été chargés de les effectuer.

Il faut respecter quelques principes très importants dans ce type de démarche. Vous devez d'abord établir des balises concernant l'investissement requis ou le rendement attendu sur l'investissement. Vous devez aussi indiquer, dès le début, quel sera le processus décisionnel. Les participants sont-ils là pour décider ou pour être consultés à titre d'experts ? Les gens acceptent très bien d'être seulement consultés. Ce qu'ils n'aiment pas, c'est découvrir qu'ils étaient consultés alors qu'ils croyaient pouvoir décider. Si vous les avez consultés, rendez vos décisions rapidement et expliquez-en les raisons. Et surtout, valorisez la participation de tous.

Ces réunions peuvent se révéler très bénéfiques et motivantes pour les participants.

Peu importe la méthode, les principes à respecter dans l'organisation des lieux communs sont fort simples : éliminer les déplacements inutiles, faciliter le travail collaboratif, favoriser l'autonomie des gens (il ne devrait pas être nécessaire de demander à quelqu'un d'autre de venir ajouter du papier dans le photocopieur), faciliter la communication en regroupant les gens qui travaillent sur des projets communs plutôt que par spécialité, garantir la disponibilité et la fonctionnalité des outils de travail.

Il ne reste maintenant qu'un dernier ingrédient sur lequel, d'ailleurs, tout repose : la rigueur. La plupart des gens aiment l'ordre, mais bien peu aiment ranger. Des rappels à l'ordre ou des incitatifs seront sûrement nécessaires : c'est humain et normal.

L'ordre dans un espace de travail n'est toutefois pas synonyme d'austérité. Il est bon d'ajouter dans un espace bien rangé, efficace et harmonieux quelques éléments qui créeront un cadre plaisant. Disposez, par exemple, quelques plantes et des reproductions de tableaux qui rendront les lieux chaleureux et accueillants.

***

Voici quelques conseils pour réussir la réorganisation des espaces communs.

- ✓ Consultez les membres de l'équipe pour identifier les principales sources de pertes de productivité.
- ✓ Faites participer les membres de l'équipe à la recherche de solutions.
- ✓ Visez à minimiser les déplacements inutiles (voir note ci-dessous sur l'utilisation des imprimantes en réseau).
- ✓ Favorisez l'autonomie. Personne ne devrait avoir à pallier le manque d'organisation des autres.
- ✓ Assurez-vous de la disponibilité et de la fonctionnalité des outils de travail.
- ✓ Regroupez vos équipes afin de faciliter la communication.
- ✓ Implantez de la rigueur et soyez vigilant. Si nécessaire, rappelez à l'ordre régulièrement ou instaurez des incitatifs.

Note : Si vous utilisez une imprimante en réseau, vous pouvez éviter d'aller chercher vos documents un à la fois en utilisant la fonction ***Imprimer hors connexion***. Lorsque vous serez prêt à récupérer vos documents, désactivez simplement la fonction ***Imprimer hors connexion*** et cliquez sur ***Imprimer***. Cette procédure vous évitera également de chercher certains de vos documents qui auraient été déplacés par mégarde.

Le système de classement papier

Dans le cas du système de classement papier, la première question à poser est celle-ci : *Avez-vous besoin de tout ce papier ?*

Vous ne serez sans doute pas étonné si j'affirme qu'une très grande quantité d'entreprises, d'organismes ou d'individus pourraient réduire substantiellement leur utilisation de papier.

Il existe évidemment des milieux où l'utilisation du papier est inévitable. C'est le cas, par exemple, du réseau de la santé (l'implantation actuelle des dossiers patients informatisés modifiera bientôt cette situation) ou des études d'avocats ou de notaires.

Mais dans la majorité des cas, une grande utilisation du papier est causée par un manque de formation des employés ou par la résistance au changement. Cette situation provoque des erreurs, des recherches inutiles, une mauvaise gestion des versions et des pertes de temps.

Alors, avant de revoir votre système de classement, demandez-vous si vous ne devriez pas d'abord vous efforcer d'en éliminer ou d'en ramener l'utilisation au strict minimum.

Voici six questions auxquelles vous pourrez sans doute répondre facilement et qui pourront vous orienter sur vos besoins d'amélioration :

- ❏ Les tiroirs de vos classeurs sont-ils surchargés ?
- ❏ Vos dossiers contiennent-ils des doublons inutiles ?
- ❏ Vous arrive-t-il souvent de chercher un papier, un document, une information ?
- ❏ Vous arrive-t-il de ne pas savoir qui a pris le dossier dont vous avez besoin ?

- ❑ Les documents contenus dans les tiroirs des classeurs existent-ils aussi en version numérique?
- ❑ Les documents contenus dans les tiroirs des classeurs pourraient-ils être numérisés et détruits?

Vous pourriez commencer à élaguer en effectuant un premier tri dans vos tiroirs de classeur:

1. Dotez-vous de trois boîtes de carton identifiées *À jeter, À archiver, À reclasser*;
2. Ouvrez chacun de vos tiroirs et placez les documents qui sont soit inutiles, soit terminés et prêts à archiver ou qui doivent être reclassés dans ces trois boîtes;
3. Ne conservez dans vos tiroirs que les dossiers actifs, utilisés dans votre travail.

Il n'est pas rare que les entreprises réussissent à éliminer plus de la **moitié** des documents papier en procédant ainsi. C'est très rapide et c'est aussi une grande source de satisfaction.

Si vous travaillez dans une entreprise où l'utilisation du papier est encore inévitable, vous devez sans doute vous conformer à un plan de classement. Profitez-en donc pour vérifier si le classement respecte le plan. Par contre, s'il n'en existe pas, vous pourriez projeter d'en établir un.

Il existe différentes possibilités de classement des documents: thématique, alphabétique, numérique, chronologique et géographique. Nommer les grandes catégories et les niveaux d'un plan de classement d'après les principales activités d'une organisation correspond à un classement **thématique**.

Les avantages du classement thématique

Comme le classement thématique correspond aux grandes activités de l'entreprise, les dossiers y sont donc regroupés par **sujets**, un système simple et facile à comprendre.

Il est utilisé comme classement de base dans beaucoup d'entreprises et l'on retrouve souvent les même grandes classes d'une entreprise à l'autre. C'est le cas, par exemple, de sujets *Administration*,

Ressources financières et *Ressources humaines* qu'on retrouve partout, même si les noms choisis pour désigner ces grandes classes peuvent varier d'une entreprise à l'autre. Les termes *Ressources humaines* ou *RH* ou *Personnel* représentent la même chose.

- Ce type de classement permet de regrouper toutes les déclinaisons d'un même thème. On peut donc regrouper, dans un même tiroir de classeur, tout ce qui concerne les *Ressources humaines* (*CV des employés, jours fériés, vacances annuelles, formations, assiduité*, etc.).
- Il rend possible la recherche par thème et par titre de dossier. Ce double accès facilite souvent la recherche.
- Il permet d'élargir la recherche sur un sujet puisque les dossiers connexes se trouvent à proximité. Il sera donc possible, à l'occasion, de consulter un dossier auquel on n'avait pas pensé au départ.

Si vous décidez de revoir votre classement, une bonne approche est de procéder par modélisation. Procurez-vous un modèle de plan de classification (il en existe des dizaines sur Internet) et servez-vous-en pour bâtir le vôtre.

Exemple de plan de classification aux premier et deuxième niveaux :

1000	***Administration***
1100	Administration
1200	Constitution, réglementation
1300	Planification, organisation, régie interne
1400	Rapports, statistiques
1500	Affaires juridiques
1600	Assemblées, comités
2000	***Ressources humaines***
2100	Ressources humaines
2200	Dotation du personnel
2300	Dossiers du personnel
2400	Conditions de travail et avantages sociaux
2500	Évaluations et formations, mouvements de personnel
2700	Relations de travail
2800	Ressources externes
3000	***Finances***
3100	Finances

3200	Financement
3300	Budgets
3400	Comptabilité
3500	Gestion salariale
3600	Opérations bancaires, placements
3700	États financiers
3800	Impôts, taxes
4000	***Biens mobiliers et immobiliers***
4100	Biens mobiliers et immobiliers
4200	Biens mobiliers
4300	Biens immobiliers
4400	Entretien et réparation des biens mobiliers et immobiliers
4500	Sécurité
5000	***Communications et information***
5100	Communications et information
5200	Communications
5300	Information
5400	Télécommunications
5500	Gestion des documents administratifs
5600	Ressources documentaires
5700	Ressources audiovisuelles et photographiques
5800	Informatique
5900	Relations extérieures
6000	***Clients***
6100	Clients
6200	Développement de la clientèle
6300	Service à la clientèle
6400	Droits des clients
6500	Filiales, affiliations
7000	***Exploitation***
7100	Exploitation
7200	Création, production, fabrication
7300	Contrôle de la qualité
7400	Tarification
7500	Distribution et prestation
7600	Recherche et développement
7700	Partenariats

En terminant, voici mon principal conseil : ne laissez pas vos documents s'accumuler et **classez-les au fur et à mesure**.

Vous aurez occasionnellement devant vous des documents à classer qui n'entrent dans aucune catégorie. **Allez jusqu'au bout !** Lorsque vous recevez un tel document, décidez tout de suite s'il faut le conserver. Dans l'affirmative, créez une nouvelle catégorie et une nouvelle chemise, et classez-le immédiatement.

Si vous ne classez pas tout au fur et à mesure, les documents auront tôt fait de s'empiler et vous reviendrez rapidement à la case départ.

✓ Demandez-vous d'abord si vous ne devriez pas éliminer ou diminuer l'utilisation que vous faites du papier.

✓ Effectuez un premier tri et épurez vos tiroirs de classeurs.

✓ Vérifiez si le classement respecte le plan de classification, s'il en existe un.

✓ Revoyez ou créez votre plan de classification (seulement si vous jugez que c'est nécessaire).

✓ Si vous n'avez pas un bon système de classement, calquez celui d'une personne bien organisée dans votre entreprise. Bien classer n'est pas un don, mais une habileté qui s'acquiert quand il devient évident qu'une bonne organisation économise plus de temps que le désordre.

✓ Si vous êtes plusieurs qui utilisent le même système de classement, dotez-vous d'un système qui vous permettra de localiser rapidement les dossiers empruntés.

✓ Archivez régulièrement. N'oubliez pas la loi de Douglas : « Dossiers et documents s'entassent jusqu'à remplir l'espace disponible pour leur rangement. »

✓ Tenez votre système de classement à jour.

✓ Classez vos documents au fur et à mesure ! Ne les laissez pas s'accumuler.

Le système de classement informatique

De façon générale, le système de classement informatique devrait avoir un certain lien avec le classement papier de votre organisation. Ce n'est cependant pas une règle d'or puisque, par exemple, les fichiers informatiques sont tous situés au même endroit contrairement aux documents papier. Pour cette raison, il n'est pas absolument nécessaire de structurer votre arborescence informatique comme l'arborescence papier. De plus, une arborescence de dossiers informatiques sera souvent plus efficace si elle respecte la logique des processus de travail.

D'abord, il est pertinent de vous demander si votre système de classement existant est performant tel qu'il est avant de procéder à son amélioration. Voici les caractéristiques d'un système de classement électronique performant :

1. Les documents sont faciles à repérer. Il faut viser un délai maximum de 5 secondes pour les documents contenus dans les dossiers fréquemment utilisés et d'au maximum 15 secondes pour les documents contenus dans les dossiers utilisés moins souvent (par exemple un dossier qui contiendrait des documents de référence).
2. N'importe qui réussit à trouver. Ce critère est très important, non seulement dans l'éventualité où quelqu'un d'autre doit consulter vos documents, mais aussi parce que l'application de ce critère vous obligera nécessairement à clarifier votre pensée et à mieux organiser vos dossiers.
3. Le classement s'effectue rapidement. Vous arrive-t-il de vous demander où classer certains documents afin d'être certain de les retrouver un jour ? Cette démarche peut être longue et sera d'autant plus facilitée si votre système est efficace.
4. L'archivage s'effectue facilement. Vous ne devriez pas, par exemple, mêler des documents permanents (comme des procédures ou des modèles) avec des documents qui devront éventuellement être archivés (comme des contrats ou des offres de service).

Dossier, document ou fichier?

Avant d'aller plus loin, voici la définition de trois mots fréquemment utilisés en gestion documentaire. Au début d'un projet touchant la gestion documentaire, il est toujours très important de bien les définir, car tous n'en ont pas la même définition.

Document

Écrit ou objet servant de preuve, de renseignement ou de témoignage. Un document peut être de différents types: informatique, papier, photographique, cinématographique, phonographique, audiovisuel, etc.

Fichier

Un fichier est un document informatique. Il est composé de données présentées sous une forme organisée (texte, fiche, liste, tableau, graphique, image, mélodie, etc.) pouvant être traitée par une ou plusieurs applications (texteur, tableur, base de données, chiffrier, etc.).

Dossier

Dans le contexte de la gestion documentaire informatique, un dossier est le contenant d'un ensemble de fichiers informatiques. Un dossier peut contenir d'autres dossiers qui deviennent alors des sous-dossiers.

Arborescence

C'est la structure d'organisation des données selon une logique et une hiérarchie établies.

Comment améliorer votre système de classement informatique

Revoir ou refaire votre système de classement personnel afin de l'améliorer est une belle occasion de réviser vos principaux outils de travail (modèles ou autres) et de vous assurer qu'ils sont bien à jour et facilement accessibles. Vous respecterez les mêmes critères si vous effectuez ce travail pour un groupe d'individus, c'est-à-dire le classement commun, mais le travail sera plus complexe: une démarche de consultation sera nécessaire et vous devrez aussi tenir compte du système déjà en place.

Sachez cependant que cette démarche peut être beaucoup moins longue que vous ne le croyez et peut apporter une grande valeur ajoutée.

Mon but dans cette section est de vous fournir quelques principes qui pourraient à eux seuls vous permettre de rendre votre classement informatique beaucoup plus performant, mais sans que vous ayez à investir trop de temps. Pensez à la loi de Pareto : *Environ 80 % des effets sont le produit de 20 % des causes*. En ce qui concerne votre système de classement, elle signifie qu'un petit nombre de documents contenus dans votre arborescence sert à votre travail quotidien.

Il faut aussi garder en tête un énoncé important sur le fonctionnement du cerveau : **le cerveau ne peut pas voir plus de huit choses différentes à la fois**. Souvenez-vous des contraintes du cycle préactif. Ce principe est très utile en gestion documentaire. Lorsque vous ouvrez un dossier, vous ne devriez pas voir plus de huit éléments, à moins qu'ils ne soient de nature semblable. Si vous observez, par exemple, l'arborescence de mes dossiers reproduite dans l'une des pages suivantes, vous constaterez que mon dossier **3-Cours,** qui est un sous dossier de **1-Cours et services-conseils**, contient beaucoup plus que huit dossiers. Mais tous ces dossiers sont de nature semblable. D'ailleurs, quiconque parcourrait mon système de classement trouverait facilement et intuitivement tous les documents liés à ma formation en gestion du temps en suivant le chemin : 1-Cours et services-conseils\3-Cours\gestion_du_temps.

***

Voici quelques conseils et une marche à suivre pour revoir rapidement votre système de classement informatique.

- ✓ Concevez d'abord votre nouvelle arborescence, généralement les trois premiers niveaux.
- ✓ Développez une arborescence simple. Le cerveau ne peut voir plus de huit choses différentes à la fois. Optez donc pour une arborescence horizontale tout en limitant à cinq ou six clics le trajet nécessaire pour atteindre un document.
- ✓ Numérotez les deux ou trois premiers niveaux. La numérotation devrait vous permettre d'ordonnancer vos dossiers selon leur fréquence d'utilisation.

- ✓ Nommez vos dossiers d'après vos principaux processus ou vos principales activités.
- ✓ Créez maintenant votre nouvelle arborescence sur votre ordinateur ou le serveur. Parce que vos dossiers de votre nouvelle arborescence sont numérotés, ils iront se placer en haut des autres dossiers.
- ✓ Reclassez vos documents. Commencez par les dossiers situés au sommet puisque ce sont ceux qui contiennent les documents que vous utilisez le plus souvent. Ce reclassement peut être réalisé progressivement.
- ✓ Profitez-en pour revoir vos modèles et outils de travail.
- ✓ Placez au sommet de certains dossiers tous vos modèles et documents de référence liés à vos différents processus.
- ✓ Classez plus méticuleusement les dossiers que vous utilisez le plus fréquemment. Par exemple, mon dossier **1-Cours et services-conseils** est beaucoup mieux organisé que mon dossier **5-Développement et références** que je consulte assez rarement (encore la loi de Pareto !).
- ✓ Limitez la portée de votre reclassement. Je vous conseille de vous limiter aux documents actifs (un document actif, dans le contexte de la gestion documentaire, signifie un document qui est utilisé et consulté couramment dans l'entreprise et qui est nécessaire à l'exécution des tâches quotidiennes).
- ✓ Lorsque vous aurez reclassé tous les documents que vous avez décidé de reclasser, il pourrait rester plusieurs orphelins, surtout si vous avez décidé de ne reclasser que les documents actifs. Créez alors un nouveau dossier qui sera situé au bas de votre nouvelle arborescence. Il pourrait se nommer, par exemple, **Z-Archives février 2015 et moins**. Glissez-y en bloc tous les dossiers et fichiers qui n'auront pas été touchés par votre reclassement. Au besoin, vous pourrez plus tard y chercher certains documents et décider à ce moment si vous souhaitez les déplacer dans votre nouvelle arborescence. Vous pourrez aussi à l'occasion aller épurer ce grand dossier.

- ✓ Dotez-vous d'un bon système de gestion des versions. Par exemple, l'utilisation de services comme Dropbox ou Google Drive ou un logiciel comme SharePoint peut grandement faciliter la gestion des versions.
- ✓ Tenez votre système de classement à jour.
- ✓ Classez vos fichiers au fur et à mesure ! Ne les laissez pas s'accumuler.

Les deux derniers conseils sont fondamentaux. Personnellement, ce sont ceux qui me demandent le plus de discipline. Je n'aime vraiment pas classer : cette activité ne m'apporte aucune satisfaction. **Mais je déteste encore plus chercher !**

Pour illustrer ce que je viens d'exposer, voici un exemple d'arborescence simple pour les fichiers informatiques :

Premier niveau

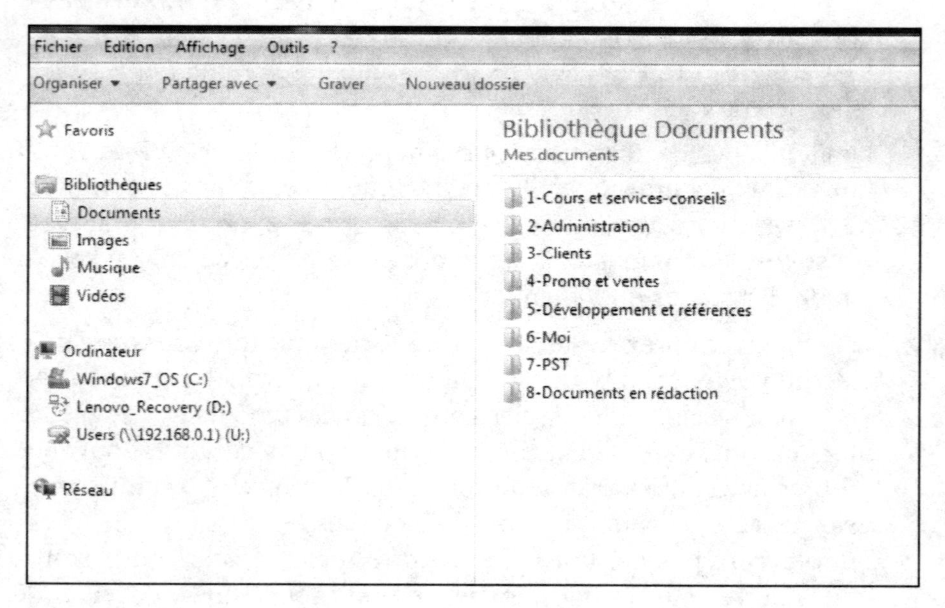

Vue partielle du deuxième niveau de « 1-cours et services-conseils » :

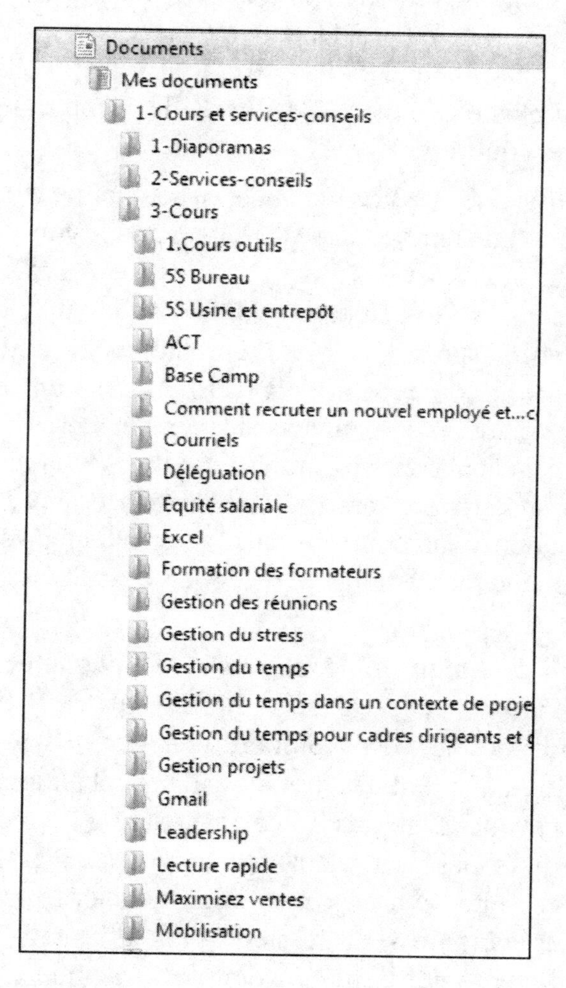

Le classement des courriels

La tendance est forte et naturelle d'imiter l'arborescence du classement des fichiers informatiques pour le classement de vos courriels. Or, le classement des courriels **ne devrait pas imiter** le classement de vos dossiers électroniques. Il devrait plutôt être **optimisé en fonction des moteurs de recherche des courriels** en respectant les principes que j'expose plus loin.

Retrouvez-vous rapidement vos courriels lorsque vous devez les consulter ? En général, les gens qui utilisent une longue arborescence peuvent peiner à retrouver rapidement leurs courriels, et le temps qu'ils mettent à les classer peut, lui aussi, être assez long. Voilà pourquoi il est de plus en plus recommandé de limiter le nombre de dossiers de classement des courriels.

Il arrive aussi que certains individus se servent de leur boîte de réception comme d'un classeur, c'est-à-dire qu'ils y stockent tous leurs courriels. Ainsi, leur boîte de réception fait office à la fois de boîte aux lettres et de classeur. Un peu comme si l'on remettait le courrier dans la boîte aux lettres après l'avoir lu. En réalité, leur méthode n'est pas si mauvaise, car ils regroupent leurs courriels dans un seul dossier. Il suffirait qu'ils créent un dossier de classement et y glissent, d'un coup, tous les courriels qu'ils ont déjà traités et qu'ils souhaitent conserver : le moteur de recherche y sera tout aussi efficace qu'il l'était dans la boîte de réception et ils pourront ainsi gérer plus facilement la nouveauté. Je rappelle que la boîte de réception devrait être vide tous les soirs.

Dans mon cas, mon principal dossier de classement est intitulé « Éléments conservés » (c'est la technique dite du *One Folder*). Pour que ce système fonctionne, il faut prendre l'habitude de renommer certains courriels en ajoutant des mots-clés dans l'objet (ou ailleurs dans vos courriels) avant de les classer, ce qui facilitera les recherches ultérieures. Ces mots-clés pourraient correspondre à des thèmes, à des projets, à des comités, etc. De cette façon, la majorité de vos courriels seront stockés dans un seul dossier, là où le moteur de recherche pourra les trouver rapidement. En somme, il s'agit de préparer les recherches ultérieures dès que vous classez vos courriels.

La technique n'est pas identique pour tous les logiciels. Avec Outlook, par exemple, vous devez ouvrir le courriel. Une fois qu'il est ouvert, vous pouvez écrire directement dans l'objet. Si, par contre, vous désirez ajouter des informations dans le corps du texte, vous devez d'abord cliquer sur « Actions » et ensuite sur « Modifier le message ». Avec Lotus Note, vous devez ouvrir le courriel et double-cliquer dans le corps du texte afin que le message devienne éditable. Avec Gmail et Thunderbird, vous devez créer des étiquettes. Toutefois, la majorité des logiciels permettent d'ajouter d'une façon ou d'une autre du contenu aux courriels avant de les classer.

Cette approche de classement des courriels pourrait être comparée à l'utilisation de métadonnées. Cette façon de procéder correspond aussi plus étroitement aux nouvelles méthodes de gestion documentaire électronique qui utilisent principalement les moteurs de recherche.

Cela vous semble étonnant? C'est pourtant le système que j'ai adopté. Comme vous le constaterez ci-dessous, mon arborescence est constituée de sept dossiers. Le premier contient les courriels classés par mes **1.Règles de messagerie** qui servent à dévier certains courriels dès leur arrivée (les copies conformes, par exemple). J'expliquerai dans le chapitre 18 sur les courriels les règles de messagerie et leur utilité. Mon deuxième dossier de classement, le principal, est nommé **2.Éléments conservés**: les courriels y sont regroupés par expéditeur pour éviter de créer des sous-dossiers pour chacun. Je renomme fréquemment les courriels avant de les y classer afin de les retrouver facilement: les mots-clés que j'ajoute peuvent être le nom d'un projet, un thème, un comité, etc. Les trois autres dossiers correspondent à des activités stratégiques. Depuis que j'utilise cette méthode, je ne crois pas consacrer plus de 5 à 10 secondes à la recherche d'un courriel.

Voici un exemple d'arborescence simple pour le classement des courriels:

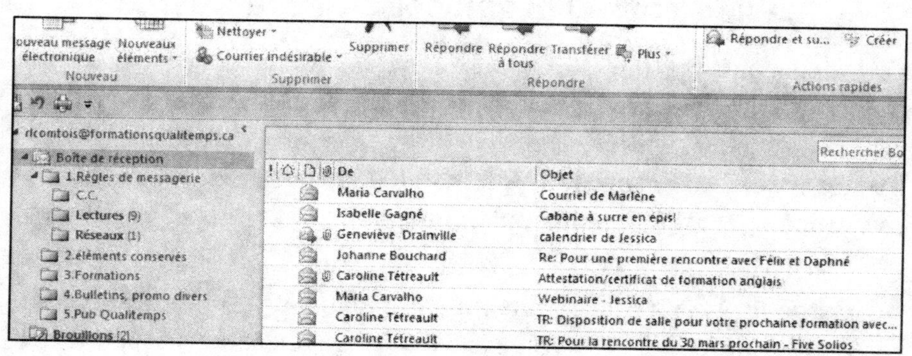

***

Voici quelques conseils pour le classement de vos courriels.

✓ Limitez autant que possible le nombre de dossiers de classement.

✓ Évitez de créer des dossiers par personnes.

✓ Créez des dossiers par grands thèmes ou par projets.

✓ Pour diminuer le nombre de dossiers, ajoutez des mots-clés dans l'objet des courriels ou dans le texte lui-même avant de les classer. Prévoyez vos futurs besoins de recherche.

✓ Pensez davantage à un classement qui facilitera vos recherches ultérieures plutôt qu'à un classement méthodique, hiérarchique ou thématique.

✓ Pensez à bien nommer vos courriels avant de les envoyer pour les retrouver facilement dans vos éléments envoyés.

✓ Classez vos courriels au fur et à mesure. Ne les laissez pas s'accumuler dans votre boîte de réception. Celle-ci devrait être vide tous les soirs, car les courriels qui restent dans la boîte de réception seront lus ou partiellement lus jusqu'à six fois chacun.

✓ Si le courriel reçu contient une tâche et que vous ne pouvez exécuter cette tâche dans la journée, vous devriez alors prendre en charge le courriel à l'aide du gestionnaire de tâches et le courriel devrait être classé ou supprimé (voir le chapitre 18, *Gérez efficacement vos courriels*).

Le lien entre l'organisation et la qualité

Certaines personnes pensent que le désordre est un signe de productivité et qu'à l'inverse un espace dégagé témoigne d'un manque d'activité. Pourtant, il est impossible d'être vraiment efficient sans être organisé. L'ordre et l'organisation sont les éléments qui vous permettront de faire **maintenant** et **rapidement** tout ce que vous devez faire, avec calme et sérénité.

L'organisation n'est pas une fin en soi, c'est un moyen d'**augmenter votre efficience**. Une table de travail dégagée sert à faciliter le travail en cours. Un système de classement bien organisé sert à faciliter la recherche de documents.

L'efficience est la capacité d'un individu à effectuer un travail avec le moins de ressources possible. La ressource dont nous parlons ici est évidemment le temps.

L'organisation et l'ordre permettent donc :

- de gagner du temps ;
- d'augmenter votre niveau de concentration ;
- d'être plus productif ;
- de diminuer votre stress ;
- d'augmenter votre niveau de satisfaction personnelle ;
- d'améliorer l'image que vous projetez ;
- de créer un climat de travail paisible.

Seriez-vous prêt à consacrer une journée entière de votre temps, ou même deux s'il le fallait, à la réorganisation de votre espace de travail et de votre système de classement ? Si vous hésitez, permettez-moi de vous poser la question autrement. Si cette réorganisation vous permettait de gagner une heure par jour (soit 36 jours de travail à la fin de l'année), hésiteriez-vous encore ?

15

Terminez toujours l'action en cours tout en gérant la nouveauté

Rien ne sert de courir; il faut partir à point.

Jean de La Fontaine

Le développement des télécommunications a entraîné une accélération constante du rythme de travail et la multiplication des tâches courtes transmises très rapidement. Pour bien des gens, s'acquitter immédiatement des demandes imprévues et des petites urgences permet de s'en débarrasser et de ne rien oublier. Mais dans les faits, le syndrome de l'action immédiate est sans doute l'une des pires maladies qui affectent la gestion du temps.

AUTREFOIS, ON DISAIT : *FIRST IN, FIRST OUT*.
AUJOURD'HUI, NOUS VIVONS À L'ÈRE
DU *LAST IN, FIRST OUT*.

Cette tendance à faire tout de suite tout ce qui se présente et peut être exécuté rapidement se traduit en anglais par une expression maintenant consacrée, le *do it now*. C'est une expression qui rend parfaitement bien l'image qu'on se fait des gens qui sont constamment dans l'action. Cette habitude leur procure, dans l'immédiat, un sentiment d'efficacité. Mais ce sentiment est généralement bref.

En réalité, les adeptes du *do it now* se demandent souvent où sont passées toutes ces heures et ce qu'ils ont vraiment fait de leur temps ! Toutes leurs journées sont consacrées à gérer les imprévus et les urgences. Le plaisir que procure cette fébrilité cède pourtant vite la place à l'impression désagréable de courir du matin au soir, sans vraiment avancer.

Comment éviter le piège de l'action immédiate

Un des gestes-clés de la gestion du temps est certainement de **toujours terminer l'action en cours**. Mais comment résister à l'envie d'abandonner le travail en cours quand il y a tellement d'événements imprévus ou nouveaux dans une journée, tellement d'idées qui nous viennent à l'esprit ? N'est-ce pas exiger trop de rigueur ?

Pourtant, si l'on prend le temps d'y réfléchir, rares sont les tâches qui doivent être exécutées immédiatement ou dans les cinq prochaines minutes.

Prendre des notes pour garder le cap

Vous souvenez-vous de l'histoire de Nicole au début du livre ? Le seul moyen de résister à la tentation de répondre à toutes les sollicitations, c'est de prendre immédiatement en note la nouvelle tâche à faire. C'est la seule façon de contrer le « syndrome de l'action immédiate ».

L'utilisation d'un cahier de notes (ou tout autre outil équivalent) est un procédé fiable qui permet de gérer tout ce qui se présente et qui exige une action future.

C'EST LA TECHNIQUE DU PARCOMÈTRE :
ON Y STATIONNE LA TÂCHE TEMPORAIREMENT.

Que cette action doive être exécutée dans deux minutes, une heure ou demain importe peu. Le simple fait de la noter permet d'atteindre deux buts : **ne pas l'oublier et, surtout, terminer l'action en cours**.

À la fin de la journée, vous devrez gérer votre cahier de notes et le vider. Pour ce faire, vous déciderez d'un *quand* pour toutes les actions de votre liste qui n'ont pas encore été exécutées et vous les inscrirez dans votre agenda papier ou électronique.

Le fait de ne pas vous précipiter dans l'action immédiate dès qu'une demande se présente ne signifie pas que vous n'y répondrez pas durant la journée ou en temps voulu. Les gens qui s'efforcent de terminer les tâches qu'ils ont entreprises, sans se laisser déranger par tout ce qui passe, sont plus efficaces.

Les notes permettent de s'affranchir de l'action immédiate. Une personne qui prend l'habitude d'écrire tout ce qui implique une action future et qui développe le réflexe du *quand*, c'est-à-dire qui décide d'une date pour chacune des nouvelles actions qui n'ont pas été traitées dans la journée, s'assure de ne rien oublier et d'accomplir tout ce qui doit l'être en temps. Cette approche apporte beaucoup de tranquillité d'esprit en plus de permettre d'effectuer le travail en cours.

***

Voici mes conseils pour gérer la nouveauté.

- ✓ Commencez par vous doter d'un bon système de prise de notes.
- ✓ Prenez l'habitude d'inscrire dans votre cahier de notes tout ce qui se présente et suppose une action future (tout ce qui pourrait commencer par les verbes faire, demander, informer, penser à, transmettre, vérifier, rechercher, déléguer, etc.).
- ✓ Efforcez-vous de toujours terminer la tâche que vous avez commencée. À moins d'une réelle urgence, notez les nouvelles tâches dans votre cahier de notes.
- ✓ Traitez la nouveauté entre vos blocs de tâches.
- ✓ Résistez à la tentation de prendre des notes un peu partout, dans divers cahiers ou sur des bouts de papier.

- ✓ Gérez vos notes chaque soir : ajoutez dans votre gestionnaire de tâches les actions notées que vous n'avez pas réalisées durant la journée en décidant d'un moment pour les effectuer et biffez vos notes complétées pendant la journée ainsi que celles que vous venez de planifier jusqu'à ce qu'il n'en reste plus.
- ✓ Pratiquez la constance jusqu'à ce que la prise de notes soit devenue une habitude pour vous.

16

Sachez négocier votre emploi du temps

Ne négocions jamais avec nos peurs.
Mais n'ayons jamais peur de négocier.

John Fitzgerald Kennedy

En gestion du temps, on dit souvent qu'il faut savoir dire non. Il est cependant plus exact d'aborder cette question en disant plutôt qu'il faut **savoir négocier**. Cette façon de l'énoncer apporte, selon moi, un autre état d'esprit beaucoup plus dynamique et positif.

Une bonne façon de parvenir à un réel contrôle de votre emploi du temps est de tenter de prendre le contrôle des échéances. Il vaut donc mieux éviter de demander à la personne qui vous confie une tâche ou un mandat : *Quand en as-tu besoin?* Essayez plutôt de prendre le contrôle de la date ou de l'heure de l'échéance en utilisant des phrases comme : *Je m'en occupe, tu auras ça mercredi sans faute* ou *Je termine tel dossier et je m'en occupe d'ici la fin de l'avant-midi.* Ainsi, vous mettez la table pour la négociation.

PRENEZ L'INITIATIVE LORSQUE VOUS NÉGOCIEZ LES ÉCHÉANCIERS.

Un autre point important qui est aussi une règle d'or en communication : évitez l'emploi de phrases négatives. Ainsi, au lieu de dire *Je ne peux pas avant jeudi,* dites plutôt *Je m'en occupe. Vous aurez ça jeudi. Est-ce que ça vous convient?*

SAVOIR NÉGOCIER SE RÉSUME
À SAVOIR GÉRER LES ATTENTES.

La gestion du temps doit être vue comme une suite ininterrompue de négociations. Vous négociez continuellement avec vos proches, vos clients, vos collègues, vos supérieurs et avec *vous-même*.

La seule façon de réussir est de bien planifier votre emploi du temps. Les gens désorganisés sont beaucoup plus vulnérables et beaucoup plus démunis quand ils reçoivent des demandes.

***

En résumé, voici quelques conseils pour négocier votre emploi du temps.

✓ Modifiez votre perception du refus et pensez plutôt que vous êtes en train de négocier votre emploi du temps.

✓ Assurez-vous de toujours bien connaître votre emploi du temps et servez-vous de votre plan quotidien ou de votre agenda pour entamer la conversation.

✓ Si vous hésitez, demandez un temps de réflexion avant de prendre une décision ou d'accepter un mandat.

✓ Si la tâche est longue, informez votre interlocuteur des étapes requises pour l'exécution de sa demande.

✓ Toutes les fois où c'est possible, fixez vous-même les échéanciers pour les tâches dont vous acceptez la responsabilité.

✓ Lorsqu'il vous est impossible d'accepter un travail, prenez le temps d'expliquer votre refus. Donnez des précisions sur les raisons qui motivent votre décision. Employez un ton neutre et exprimez vos regrets. Cherchez également une solution avec le demandeur.

- ✓ Évitez de demander à la personne qui sollicite votre aide à quel moment elle aura besoin de ce travail.
- ✓ Si vous recevez une demande par courriel, prenez le temps de répondre au demandeur et donnez-lui une date de livraison avant de transformer ce courriel en tâche.
- ✓ **Utilisez toujours un langage positif.**

17

Planifiez vos suivis

Pressentir le futur, c'est protéger le présent.

Daniel Latrobe

De nos jours, très peu de tâches peuvent être accomplies sans l'intervention d'autres personnes: collègues, clients, fournisseurs, etc. Nous sommes tous interdépendants et les télécommunications favorisent encore ce rapprochement. Pour compléter une soumission, par exemple, il faudra peut-être attendre quelques jours avant d'obtenir la réponse d'un fournisseur. Pour terminer la rédaction d'un document de recherche, il faudra attendre le rapport d'analyse d'un collègue. Les exemples de ce genre abondent.

Cette interdépendance au travail est tout à fait normale, mais entraîne des risques si l'on ne se donne pas de moyens de contrôle. En ne gérant pas préventivement les suivis, on reste tributaire du bon vouloir ou de la mémoire des autres. La meilleure façon de garantir la bonne marche d'un travail et de respecter ses échéanciers, c'est d'assurer des suivis et de les planifier dans son agenda.

Vous souvenez-vous de l'une des principales objections dont j'ai parlé au début? Lors de mes formations en gestion du temps, je demande aux gens s'ils sont d'accord avec moi quand j'affirme qu'ils pourraient planifier toutes leurs tâches en cours. La réponse la plus généralisée à cette question est *oui, presque*. « Oui, presque », car l'une des objections à cette affirmation concerne les tâches pour lesquelles ils sont tributaires de quelqu'un d'autre, où ils attendent une réponse, un prix ou un travail donné. Pour répondre à cette objection, je leur demande si *attendre* est une action. Est-ce que je peux dire, par exemple, que j'attendrai pendant cinq minutes jeudi prochain à 16 h? Bien sûr que non. Mais je peux cependant dire que jeudi prochain à 16 h j'effectuerai un suivi ou une relance. Et je dois inscrire ce suivi dans mon agenda en même temps que j'ai confié une tâche à quelqu'un.

Faire un suivi est une action et toute action est planifiable, comme nous en avons abondamment parlé. Il s'agit d'une tâche qui doit être planifiée comme toutes les autres.

Vos suivis peuvent avoir deux objectifs principaux. Le premier est de vous assurer que le travail est fait ou qu'il sera complété à temps. Le second est de contrôler un travail à certaines étapes afin qu'il réponde à vos objectifs initiaux.

Bien sûr, dans un monde idéal, vous n'auriez pas ou presque pas de suivis à réaliser. Faire un suivi n'est pas en soi une activité à valeur ajoutée.

La décision d'assurer des suivis et leur fréquence relève de plusieurs facteurs. Ils dépendent du niveau de confiance que vous accordez à la personne responsable du travail, depuis combien de temps vous collaborez avec elle, de son expérience, de ses connaissances, etc.

Je veux toutefois souligner que si vous jugez utile d'assurer un suivi, vous devez le planifier en même temps que vous déléguez cette partie de travail. Vous ne devez plus être obligé d'y penser.

Si un travail comprend plusieurs étapes, vous devriez toujours vous demander quelle sera la prochaine action à poser et qui en aura la responsabilité. Dans le cas où une action doit être réalisée par quelqu'un d'autre, il faut donc vous demander si vous assurerez un suivi. Si tel est le cas, planifiez-le immédiatement.

Ce conseil ne doit pas toujours être suivi à la lettre. Quand la tâche fait partie d'un processus courant, par exemple remplir une feuille de temps, aucun suivi ne devrait être requis. J'insiste sur ce point, car je rencontre bien des entreprises dans lesquelles des adjoint(e)s assurent en partie des suivis pour lesquels les gens devraient être complètement autonomes. C'est une très mauvaise utilisation des ressources.

> BIEN PLANIFIER VOS SUIVIS, C'EST OUBLIER EN TOUTE SÉCURITÉ ! OU ENCORE, NE JAMAIS OUBLIER SANS AVOIR À Y PENSER !

Soyez proactif

On a souvent tendance à faire un suivi le jour même où un travail est attendu. On risque malheureusement d'apprendre, ce jour-là, que le travail n'est pas terminé. Quand je donne des formations, j'aime me servir de l'exemple du « dernier clou ». C'est un cas typique dans le domaine de la construction. À quel moment les travailleurs sur un chantier vont-ils téléphoner au bureau pour avoir des clous ? Il n'est pas rare que ce soit au moment de prendre le dernier dans la boîte ! Comme le dit le romancier Henry Miller : « Certains sentent la pluie à l'avance ; d'autres se contentent d'être mouillés. »

Si vous pensez avoir besoin d'une information dans cinq jours, vous devriez faire votre suivi avant l'échéance des cinq jours. Assurer des suivis préventifs et planifiés doit devenir un automatisme dans votre vie au travail.

Soyez clair dans vos demandes

Soyez toujours clair dans vos demandes et obtenez l'engagement des gens. Vous devez respecter un principe fondamental quand vous confiez une tâche à quelqu'un : décidez ensemble du moment où la tâche doit être accomplie. Vous planifierez ensuite vos suivis en fonction de cette date. Évitez donc les demandes floues comme « Lorsque tu auras le temps », « Le plus vite possible », etc.

***

Voici quelques conseils pour bien gérer vos suivis.

- ✓ Exercez des suivis pour les tâches que vous déléguez, surtout si celles-ci ont une incidence sur votre travail.
- ✓ Inscrivez ces suivis à des dates précises dans votre outil de gestion du temps pour ne plus devoir y penser.
- ✓ Lorsque vous déléguez un travail, efforcez-vous toujours de vous entendre sur une date de remise avec la personne à qui vous avez confié ce travail.
- ✓ Évitez les demandes floues comme comme « Lorsque tu auras le temps » ou « Le plus vite possible ».
- ✓ Utilisez vos suivis comme aide-mémoire pour remercier ou féliciter les personnes que vous avez chargées d'un travail.

18

Gérez efficacement vos courriels

Les gagnants seront ceux qui restructurent la manière dont l'information circule dans leur entreprise.

Bill Gates

Les courriels grugent-ils trop de votre temps ? En tout cas, il ne serait certainement pas exagéré de dire que le courriel a changé nos habitudes de vie, mais pas toujours pour le mieux. J'ai d'ailleurs intitulé mon ouvrage qui traitait de ce thème : *Gérez vos courriels, avant qu'ils vous gèrent !*

Qu'on le veuille ou non, les courriels occupent beaucoup de place dans nos vies au travail. Mais au fait, qu'ont-ils remplacé ou amélioré ? La poste, évidemment ! Et si nous comparions le cycle de gestion des courriels à celui du vieux courrier papier pour nous en inspirer ?

Cycle de gestion du courrier papier

Le cycle de gestion d'une enveloppe papier suivait et suit encore un cycle qui pourrait être décrit de la façon suivante :

- Cueillette.
- Première décision à prendre pour chaque enveloppe – rebut ou ouverture ?
- Deuxième décision à prendre pour chaque enveloppe ouverte – rebut ou lecture ?

- Troisième décision pour chaque document lu – rebut, classement ou action ?
- Quatrième décision pour chaque document à classer – classement personnel (mon espace bureau) ou classement commun (accessible à plusieurs) ?

  ou

- Quatrième décision à prendre s'il s'agit d'un document qui exige une action – action immédiate ou action planifiée ?

Le ***courrier*** n'arrivant qu'une fois par jour, l'ensemble de ce processus était généralement effectué une fois par jour seulement.

De plus, *la boîte aux lettres était vidée* tous les jours, ce qui évitait un excès de manipulation. Trouveriez-vous normal d'ouvrir une enveloppe, d'en sortir le contenu avant de le remettre dans l'enveloppe et ensuite dans la boîte aux lettres afin de la traiter plus tard ou dans quelques jours ? Pourquoi serait-ce une pratique absurde avec du courrier en papier, mais une pratique normale avec des courriels ?

Cycle habituel de mauvaise gestion des courriels

Le cycle de gestion des courriels est malheureusement beaucoup moins systématique que celui du courrier papier. La majorité des gens :

- Ouvrent leur boîte de réception à l'arrivée de chaque courriel ;
- Laissent les messages dans leur boîte de réception ;
- Manipulent les mêmes courriels plusieurs fois ;
- N'ont pas de bonne méthode de classement ;
- Sont dérangés par des alertes multiples ;
- Ont de la difficulté à gérer les courriels qui représentent des tâches s'il n'est pas possible de les exécuter immédiatement ;
- Passent beaucoup de temps à reporter les multiples rappels qu'ils ont programmés sur leurs courriels.

Le saviez-vous?

- La vérification des courriels est la première activité de la journée pour une bonne partie du personnel de bureau.
- Chaque Nord-Américain reçoit en moyenne 60 courriels par jour[3].

Les écueils liés à une mauvaise gestion des courriels sont nombreux et peuvent avoir un impact considérable sur l'efficacité des individus et même sur la qualité de leur travail. Voici les principaux effets néfastes des courriels.

1) Les courriels peuvent être une source d'interruption.
L'arrivée d'un courriel est annoncée par l'apparition d'une petite enveloppe au bas de l'écran, par une cloche ou par le pointeur de la souris qui grossit tout d'un coup. Nous sommes tous conditionnés à répondre automatiquement à ce genre de stimuli. La plupart du temps, les gens prendront connaissance du courriel, puis reviendront à la tâche qui les occupait précédemment. Mais il faudra quelques minutes pour qu'ils replongent dans le travail et retrouvent le même niveau de concentration qu'auparavant (le temps de mise en place).

2) Le courriel est un mode de communication unidirectionnel.
Bien que rapide et commode, le courriel n'est pas toujours le meilleur moyen de communication, puisqu'il est à sens unique. Il faut à l'occasion échanger des informations, indiquer qu'on a compris et s'assurer de la compréhension de l'autre. Il vaut parfois mieux prendre le téléphone et parler à son destinataire plutôt que de lui envoyer un courriel. C'est souvent plus efficace. Les « Re : Re : Re : » ne sont pas recommandés.

3) Les courriels sont un extraordinaire outil de procrastination.
Procrastiner signifie remettre à plus tard. Pas en se croisant les bras, bien sûr, mais en faisant autre chose que ce qu'on devrait faire. *Tiens, un courriel arrive, quelle belle occasion ! Occupons-nous-en.* Excellente excuse pour expliquer qu'on n'a pas eu le temps de faire quoi que ce soit à la fin d'une journée. Il vaut la peine d'y réfléchir !

---

3. Soulignons que ces chiffres rapportés par Christina Cavanagh datent de 2008. Qui sait s'ils n'ont pas augmenté depuis !

4) Les courriels peuvent être un facteur de dispersion.

Le courriel est devenu un grand facteur de dispersion étant donné le nombre accru de courriels qui arrivent chaque jour et le fait d'être immédiatement avisé par des alertes. Du matin au soir, les gens butinent d'une tâche à l'autre. C'est malheureusement l'une des grandes tendances du 21e siècle !

5) Les courriels portent à négliger les priorités.

Nous aborderons plus loin, comme promis, la notion fondamentale de l'établissement des priorités. Pour le moment, disons seulement que bien prioriser est un art qui consiste à faire le bon choix entre l'urgent et l'important. Malheureusement, l'être humain a toujours tendance à aller vers l'urgent avant l'important. Les courriels rendent cette lutte de tous les jours encore plus difficile.

6) Les courriels portent à multiplier inutilement les messages.

Il est tellement facile et tellement rapide d'envoyer un message qu'il est facile d'en abuser en faisant part, par exemple, d'une nouvelle sans importance ou en posant une question à laquelle il serait facile de trouver la réponse.

7) Les courriels peuvent diminuer la qualité des communications.

Comme tout se fait rapidement, les courriels sont souvent mal rédigés. De plus, la majorité des gens ne prennent pas le temps de lire l'ensemble des courriels qu'ils reçoivent. Si l'essentiel d'un message n'est pas contenu dans les deux ou trois premières lignes, le message risque d'être mal compris, mal interprété ou carrément de ne pas être lu. La vitesse des communications nuit souvent à leur qualité.

8) Les courriels sont souvent manipulés plusieurs fois inutilement.

On prend souvent connaissance du message en partie seulement, en se disant qu'on va le traiter plus tard. Le lendemain, on le retrouve en ouvrant sa boîte de réception et on le relit, partiellement bien sûr, car il ne fait pas partie des priorités de la journée. Et ça continue ainsi jusqu'à ce qu'enfin on le traite. Faites-en vous-même l'expérience : combien de fois lirez-vous ce courriel que vous avez reçu il y a quelques jours ? Les courriels qui restent dans la boîte de réception sont lus complètement ou partiellement jusqu'à six fois avant d'être traités ou supprimés !

Et cette liste n'est pas exhaustive... En fait, la gestion des courriels est somme toute un geste simple et fort répétitif que bien des individus gagneraient à mieux maîtriser. L'amélioration de la gestion des courriels est l'une des plus simples et des plus grandes sources d'amélioration de la productivité pour bien des individus et des organisations.

Un processus en trois étapes

Une bonne façon d'aborder la gestion des courriels est de voir le tout comme un processus qui se déroule en trois étapes :

1. La réception ;
2. Le traitement ;
3. Le classement.

La réception

D'abord, demandez-vous si c'est vous qui gérez vos courriels ou si ce sont eux qui vous gèrent. Si vous avez une alerte quelconque ou une petite enveloppe qui apparaît et vous avise chaque fois qu'un courriel entre, il y a de grandes chances que ce soit eux qui vous gèrent. Je vous conseille donc de **désactiver toutes les alertes de réception des courriels**.

Ensuite, à quelle **fréquence** devez-vous aller voir et traiter vos courriels ? Cette décision vous appartient et dépend aussi du type de travail que vous faites. Pour certaines personnes, les périodes seront plus courtes, aux heures par exemple, mais je suis convaincu que la grande majorité des gens peuvent se passer de lire leurs courriels dès qu'ils arrivent.

Personnellement, je lis et traite mes courriels environ quatre fois par jour et chaque fois je m'efforce de vider ma boîte de réception. La majorité des courriels se traitent en moins de cinq minutes. Donc, quand on ouvre un courriel, il vaut mieux le traiter et terminer ce cycle d'action. Cette façon de procéder est d'autant plus facile lorsque les alertes sont désactivées. Sinon, que faisons-nous en allant lire nos courriels dès leur arrivée ? Nous vérifions s'ils contiennent une action urgente en les lisant, constatons que cela peut attendre et laissons le courriel dans la boîte de réception. Ce sont ces courriels, ceux qui contiennent une action et que l'on remet dans la boîte de réception, qui seront manipulés inutilement plusieurs fois.

Si vous craignez qu'en désactivant vos alertes vous risquiez de ne pas répondre aux attentes de certaines personnes, dites-vous que vous serez tout de même plus efficace pour exécuter votre travail. Demandez-vous surtout si *vous* n'êtes pas la principale personne qu'il faut convaincre : plusieurs sont très attachés à ces sources de distractions que sont les petites alarmes.

Utilisez les règles de messagerie pour effectuer un premier tri

Les courriels que vous recevez n'ont pas tous le même degré d'importance. Certains doivent être traités plus rapidement et d'autres peuvent attendre. C'est le cas, par exemple, des courriels pour lesquels vous êtes en **copie conforme** qui, contrairement aux autres, ne contiennent pas ou ne devraient pas contenir d'actions à faire. Même chose pour vos abonnements, les messages provenant des réseaux sociaux, etc.

Vous pouvez utiliser les règles de messagerie afin de diriger automatiquement certains courriels vers des sous-dossiers spécifiques dès leur arrivée. Pour effectuer ce premier tri, vous pourriez créer une règle pour tous les courriels qui ne vous sont pas directement adressés et une autre pour tous les courriels où vous êtes sur une liste de distribution.

Pour ma part, je prends connaissance des courriels contenus dans mon dossier C.C. (copies conformes) une fois par jour, en fin de journée. Prendre connaissance de quinze ou vingt courriels en copie conforme à l'aide du volet de lecture ne me prend généralement pas plus de cinq minutes et je supprime la majorité d'entre eux au fur et à mesure.

Quant à tous les courriels dirigés vers mon dossier *Lecture*, j'en prends connaissance une fois par semaine ou parfois toutes les deux semaines. Je réserve une plage de temps d'environ une heure à cette activité. Je commence en supprimant tous les articles qui ne m'intéressent pas ou pas assez. Ensuite, je commence en lisant ceux qui m'intéressent le plus. À la fin de ma période de lecture, je supprime ou classe tous les courriels contenus dans ce dossier pour le vider complètement. Si je n'utilisais pas les règles de messagerie pour ce type de courriels, j'aurais le sentiment que je n'ai jamais le temps de lire et la gestion globale de mes courriels en serait rendue beaucoup plus ardue.

Ces règles ne doivent pas être vues comme une façon de classer directement et définitivement les courriels, mais comme une façon d'effectuer un premier tri en fonction de l'importance des courriels.

Afin d'appliquer ce principe, j'ai créé un dossier sous ma boîte de réception nommé ***1. Règles de messagerie*** afin qu'il apparaisse en premier dans la liste. Les dossiers qui reçoivent les courriels redirigés sont des sous-dossiers de ce dossier. En voici l'illustration :

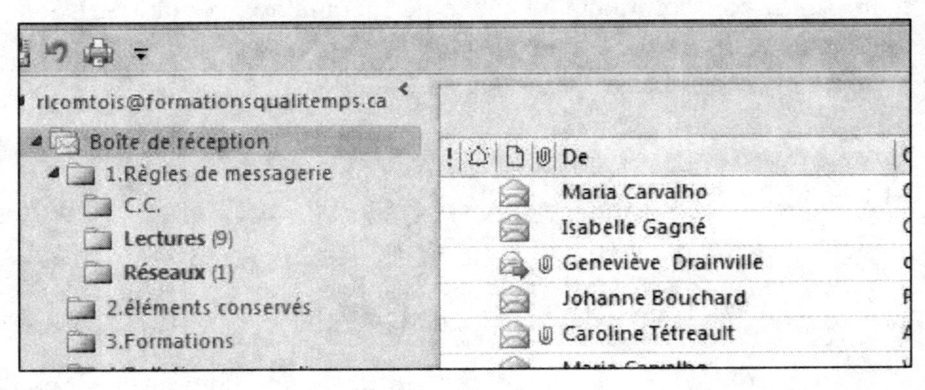

Le traitement

Regroupez le traitement de vos courriels

Comme nous le verrons plus tard, le regroupement des tâches de même nature est une source importante d'efficacité personnelle. Une tâche qui mérite vraiment d'être regroupée est le traitement des courriels. Réservez des moments dans votre journée pour ce faire.

Lorsque vous allez traiter vos courriels, regardez chacun d'eux et prenez immédiatement une décision :

1. Supprimer sans ouvrir ;
2. Lire et supprimer ;
3. Lire et classer ;
4. Ouvrir, répondre et supprimer ;
5. Ouvrir, répondre et planifier un suivi ;
6. Ouvrir et planifier une action (quand celle-ci ne peut être exécutée rapidement).

Bien sûr, les quatre premiers cas sont faciles à maîtriser, mais il faut tout de même prendre une décision et aller jusqu'au bout de notre action.

Les deux dernières situations sont, quant à elles, moins faciles à maîtriser et sont la principale cause de manipulations inutiles. Dans ces deux derniers cas, le courriel devrait être transformé en tâche et disparaître de votre boîte de réception.

LES BOÎTES DE RÉCEPTION NE DOIVENT
PAS SERVIR DE *TO-DO LIST*.

La majorité des logiciels de gestion du temps comme Outlook, Gmail ou Lotus permettent de transformer un courriel en tâche, une fonctionnalité que tous devraient maîtriser, selon moi.

Videz votre boîte de réception

Vous devez vider votre boîte de réception de courriels tous les jours. Tant qu'un courriel y reste, vous risquez de le lire.

LES COURRIELS QUI RESTENT DANS LA BOÎTE DE RÉCEPTION SONT LUS OU PARTIELLEMENT LUS JUSQU'À SIX FOIS !

Je vous conseille donc d'aller traiter vos courriels à quelques reprises durant la journée et de vous efforcer de **vider, chaque fois, votre boîte de réception**. Tel que mentionné, la majorité des courriels se traitent en moins de cinq minutes. C'est donc une excellente occasion d'appliquer le principe de ***Toujours terminer l'action en cours***.

Le classement

Le classement est la dernière étape du processus. L'objectif d'un bon système de classement est, bien entendu, de retrouver rapidement les documents classés.

Je vous invite à revoir le chapitre 18, les deux exemples d'arborescences qui s'y trouvent, de même que la fiche-conseil à la fin du chapitre. Et surtout, posez-vous toujours la question suivante avant de classer un courriel : *Ce courriel mérite-t-il réellement d'être classé, a-t-il réellement une valeur historique ?* Méfiez-vous du réflexe de garder *au cas où*.

Je dois ajouter un point important concernant le classement des courriels qui ont réellement une valeur historique pour l'entreprise, c'est-à-dire ceux dont le contenu doit être conservé à long terme : un contrat, une entente, une confirmation ou toute information importante relative à un projet, par exemple. Ces courriels et leurs pièces jointes devraient également être sauvegardés dans l'explorateur Windows ou son équivalent.

Il faut toujours considérer l'arborescence de classement des courriels comme un classement individuel. En plus, selon un principe fort simple de gestion documentaire, tous les documents d'un projet ou d'un thème spécifique à l'organisation devraient être stockés dans un même dossier et être accessibles à tous les intervenants qui sont concernés.

***

Voici quelques conseils pour bien gérer vos courriels.

✓ Voyez la gestion de vos courriels comme un processus et soyez systématique dans leur traitement.

✓ Désactivez la fonction qui signale l'arrivée d'un courriel et abstenez-vous de lire vos courriels au fur et à mesure qu'ils entrent. Vous gagnerez beaucoup de temps !

✓ Utilisez les règles de messagerie pour exécuter un premier tri.

✓ Regroupez la gestion de vos courriels et réservez des périodes durant la journée pour les lire et les traiter.

✓ Lorsque vous ouvrez un courriel, efforcez-vous de le traiter jusqu'au bout.

✓ Transformez en tâches tous les courriels qui vous demandent de poser une action future.

✓ Si vous reportez le traitement d'une tâche reliée à un courriel, prenez le temps d'en aviser le demandeur.

✓ Prenez l'habitude de traiter tous vos courriels dans la même journée et de vider chaque jour votre boîte de réception.

✓ Avant de classer un courriel, demandez-vous : *A-t-il réellement une valeur historique ?*

✓ Si le courriel a une valeur historique, demandez-vous s'il devrait aussi être sauvegardé dans l'explorateur Windows ou son équivalent.

19

À la recherche du temps perdu

Le temps est devenu rythmé et encombré.
Rares sont ceux qui estiment en
avoir suffisamment alors que chacun
dispose de sa totalité.

Jean-Louis Servan-Schreiber

Nous allons maintenant voir comment vous pourriez améliorer votre efficacité : comment faire plus en moins de temps. Tout cela en puisant simplement à cinq grandes sources d'amélioration :

1. Regrouper les tâches de même nature ;
2. Travailler en continu ;
3. Améliorer le processus ou la méthode ;
4. Déléguer ;
5. Éliminer.

Je vous propose de prendre du recul par rapport à vos façons de faire dans le but de découvrir comment elles pourraient être améliorées.

Peu de gens, à mon avis, soupçonnent les gains d'efficacité importants qu'il est possible de réaliser dans un contexte de travail de bureau. Il est vrai que, dans cet environnement, la définition du travail est moins précise et plus difficile à bien définir ou mesurer.

Dans un bureau, le travail arrive de sources multiples et à tout moment. Les échéances sont des plus variées et dépendent de nombreux critères de hiérarchisation. Les outils de travail sont en perpétuelle évolution. Enfin, le grand nombre d'intervenants augmente considérablement la complexité.

Tous ces facteurs sont difficiles à maîtriser. Par contre, en y pensant bien, la plupart des personnes pourraient assez facilement énumérer quelques activités bien précises qui occupent la majeure partie de leur temps.

Par exemple, quelles sont mes activités? Donner des cours (activité très facile à maîtriser en termes de gestion du temps), personnaliser, préparer ou rédiger des cours, communiquer avec l'extérieur par courriel ou par téléphone, communiquer avec mon équipe, gérer l'administration de mon entreprise ou en faire la promotion, préparer et assister à des réunions, exercer une veille, élaborer la stratégie de développement et gérer ou collaborer à quelques projets. Ces activités correspondent d'ailleurs aux catégories de tâches dans mon logiciel Outlook.

Je vous propose maintenant une démarche d'amélioration qui consiste à dresser un rapide inventaire des types de tâches ou activités que vous accomplissez dans le cadre de votre travail afin d'identifier celles qui pourraient être améliorées selon une des cinq sources d'amélioration que je vous suggère.

Cinq sources d'amélioration

Prenez une feuille de papier ou créez un fichier Word ou Excel. Tracez une colonne d'environ 2 centimètres à gauche de la feuille. Tracez-en une autre un peu plus large à droite. La colonne de gauche servira à inscrire le type d'amélioration que vous désirez apporter à une activité donnée. Celle de droite contiendra le temps ou le pourcentage de temps que vous y consacrez. Résultat:

Amélioration	Activités	Temps ou % de temps

Prévoyez quelques dizaines de lignes. Faites maintenant la liste la plus exhaustive possible de tous les types de tâches ou activités auxquelles vous consacrez votre temps. Exemple : répondre à des courriels, communiquer avec mes clients, mes collègues, répondre à des questions, régler des urgences, rédiger tel type de rapport, effectuer tel type de recherche, exercer une veille, traiter des plaintes, préparer du matériel, et ainsi de suite.

Lorsque je fais réaliser cet exercice dans une formation, les participants identifient généralement, en une dizaine de minutes, de 15 à 25 tâches et activités. Faites l'exercice sans penser pour l'instant à la façon d'améliorer l'exécution de ces activités. Quand vous aurez terminé, gardez votre liste avec vous et poursuivez votre lecture.

Voici maintenant en détail les cinq principales sources d'amélioration que j'ai mentionnées au début de ce chapitre.

Regrouper les tâches de même nature

> SELON LES RECHERCHES FAITES SUR LE SUJET PAR L'*INSTITUTE FOR BUSINESS TECHNOLOGY*[4], CERTAINES TÂCHES *REGROUPÉES* REPRÉSENTENT 20 % DE LA JOURNÉE DE TRAVAIL. LES MÊMES TÂCHES *NON REGROUPÉES*, EXÉCUTÉES AU FUR ET À MESURE QU'ELLES SE PRÉSENTENT, POURRAIENT PRENDRE JUSQU'À 50 % DE LA JOURNÉE DE TRAVAIL.

Comment expliquer l'importante efficacité du regroupement ? Tout simplement parce que cette méthode réduit les temps de mise en place. Dans un bureau, le temps de mise en place n'est pas seulement physique (comme un changement d'outil en usine ou un déplacement dans l'espace), mais il est aussi et surtout cérébral. Il faut donc du temps pour revenir à un bon niveau de concentration et d'efficacité.

4. Kerry Gleeson, *Institute for Business Technology*.

Peu de vos tâches sont occasionnelles. La plupart d'entre elles, même si elles ne sont pas parfaitement identiques, sont répétitives dans leur nature. Il sera donc toujours plus efficace de regrouper vos tâches de même nature. En fait, d'après les chiffres cités plus haut, **vous serez deux fois et demie plus efficace** chaque fois que vous accomplirez vos tâches de même nature en les regroupant dans une plage de temps donnée.

En cherchant à identifier les tâches qui peuvent être regroupées, certaines sautent aux yeux: appels téléphoniques, courriels et communications internes. Mais en examinant la liste que vous avez dressée plus tôt, vous constaterez sans doute que vous pourriez en regrouper bien davantage.

Le regroupement de vos tâches de même nature doit devenir une sorte d'automatisme, une façon normale de travailler. Mais ce mode de fonctionnement ne s'acquiert pas sans effort. Il faut, d'une part, lutter contre les grands ennemis du regroupement que sont les télécommunications et les interruptions et, d'autre part, vous réserver des plages de temps pour travailler calmement, sans vous laisser distraire.

Parfois, il faut aussi lutter contre soi-même. Souffrez-vous du syndrome de l'action immédiate? Vous est-il difficile d'accepter de désactiver vos alertes à la réception des courriels? Si oui, vous aurez plus de difficulté à mettre en œuvre cette immense source d'amélioration.

Mais n'oubliez pas qu'en regroupant vos tâches vous serez plus efficace et ressentirez en fin de journée un plus grand sentiment de satisfaction. Vous aurez accompli davantage en exécutant non seulement les tâches planifiées, mais également une bonne partie de celles qui se seront ajoutées au cours de la journée.

Certains logiciels, comme Outlook, Lotus ou Thunderbird, permettent de créer des catégories de tâches et de les regrouper afin d'en faciliter l'exécution. Profitez-en!

Travailler en continu

> LES LONGUES SÉQUENCES DE TRAVAIL
> SONT PLUS PRODUCTIVES.

Certaines tâches profitent plus que d'autres de leur exécution en continu. En effet, plus une tâche est exigeante sur le plan cérébral et plus elle requiert de concentration, plus elle doit être exécutée à l'abri des interruptions.

Pourquoi ? Parce que pour ces tâches-là, il faut environ quatre minutes pour revenir au niveau de concentration précédent. De plus, il devient souvent impossible de revenir à ces activités si les interruptions sont trop nombreuses. Un exemple personnel : quand je dois effectuer des tâches dans ma catégorie « Rédaction de cours », je mets tout en œuvre pour réussir à les exécuter sans interruption.

En observant la situation qui prévaut de nos jours dans les entreprises, on comprend facilement qu'il est devenu extrêmement rare qu'une personne puisse réaliser un travail complet en continu.

Mon but n'est pas de vous inciter à appliquer cette notion à toutes vos activités, mais de vous aider à identifier précisément celles pour lesquelles vous pourriez réaliser des gains substantiels en l'appliquant. Cet exercice pourra peut-être aussi vous aider à négocier ce droit avec votre supérieur.

Améliorer le processus ou la méthode

On refait souvent les mêmes gestes sans réfléchir. L'habitude s'installe parce que la remise en question des façons de faire n'est certainement pas un réflexe.

Prendre le temps d'analyser notre façon de procéder nous permet bien souvent d'améliorer nos processus et nos méthodes de travail. Cela peut être en éliminant certaines étapes, en améliorant l'équipement, en développant des canevas de travail, en exploitant mieux nos logiciels, en modifiant certaines descriptions de tâches, en mettant à jour certains guides de travail ou formulaires, etc. Ou encore en identifiant quels problèmes ou questions reviennent le plus souvent et en tentant de les résoudre à la source ou en offrant de la formation au personnel.

Toutes les organisations qui mettent en place une culture de l'amélioration continue constatent à quel point les gens sont créatifs et réussissent à découvrir des méthodes plus rapides. La seule condition pour y arriver : s'arrêter et réfléchir !

L'amélioration des processus et des méthodes est toutefois celle qui prend le plus de temps parmi les cinq voies proposées dans ce chapitre. Elle peut aussi nécessiter la collaboration de certains collègues. Malgré tout, elle en vaut la peine !

Déléguer

Déléguer ne signifie pas se débarrasser d'une tâche qu'on n'a pas le temps de faire. Il s'agit plutôt d'une décision prise après avoir répondu à la question : *Suis-je la personne la mieux désignée pour exécuter cette tâche ?*

Il ne faut pas perdre de vue que déléguer est une opération délicate qui peut se révéler inutile et coûteuse si quelques règles de base ne sont pas respectées : bien se préparer, bien connaître ses collaborateurs, donner des mandats clairs, etc.

Il arrive que des individus réalisent en faisant la liste de leurs activités que certaines d'entre elles ne devraient pas leur revenir. Peut-être devraient-ils alors réfléchir à leur description de tâches. Il se peut, par exemple, que cette tâche ait été autrefois sous leur responsabilité, mais que l'évolution de leur poste ait eu lieu sans que cette activité soit remise en question. Alors, voyez-vous des tâches que vous pourriez partiellement ou complètement déléguer ?

Éliminer

L'analyse de nos tâches nous permet parfois de réaliser que certaines rapportent très peu en comparaison du temps que nous leur consacrons, comme, par exemple, certains rapports, des réunions trop fréquentes, etc. Y a-t-il des tâches que vous pourriez partiellement ou complètement éliminer ?

Analyse finale et plan d'action pour améliorer votre efficacité

Reprenez maintenant votre liste.

Dans la colonne de droite, évaluez sommairement et approximativement le temps ou le pourcentage de temps que vous consacrez à vos principales activités.

Inscrivez dans la colonne de gauche le code de la méthode qui, selon votre jugement, vous permettrait d'améliorer l'efficacité de l'activité en question :

R pour regrouper ses tâches de même nature ;
T pour travailler en continu ;
AP pour améliorer le processus ou la méthode ;
D pour déléguer ;
É pour éliminer.

Évidemment, l'exercice ne s'arrête pas là. Vous devez maintenant mettre en œuvre ces améliorations.

Cet exercice pourrait aussi vous aider à nommer vos catégories de tâches, si votre logiciel le permet. Pour vous convaincre que le temps que vous y consacrerez sera bien investi, reprenons le tableau que je vous ai présenté au début du livre.

Si vous économisez chaque jour	Vous pourriez gagner annuellement
5 minutes...	3 jours
15 minutes...	9 jours
30 minutes...	18 jours
1 heure...	36 jours

En y pensant bien, le plus aberrant serait de ne pas y consacrer l'effort et le temps nécessaire !

***

Voici quelques conseils pour améliorer votre efficacité dans l'exécution de vos tâches.

✓ Faites l'inventaire de vos tâches et activités.

✓ Analysez vos tâches et décidez du type d'amélioration à apporter à certaines d'entre elles.

✓ Regroupez vos tâches de même nature.

✓ Exécutez certaines de vos tâches en continu.

✓ Bloquez du temps dans votre calendrier pour vous acquitter de certaines tâches ou blocs de tâches.

✓ Travaillez à l'amélioration du processus de réalisation de certaines tâches.

✓ Apprenez à déléguer certaines tâches.

✓ Éliminez certaines tâches.

✓ Prenez le temps qu'il faut pour mettre en place ces changements.

20

Prenez rendez-vous avec vous-même

Ce qu'on fait avec le temps,
le temps le respecte.

Auguste Rodin

Nous venons de voir qu'en regroupant vos tâches vous pouvez être deux fois et demie plus efficace. Il en va de même pour certaines tâches si vous les exécutez en continu. Or, ces périodes de travail n'arriveront pas par hasard, il faut les planifier ! Il ne faudrait pas non plus devoir travailler en dehors des heures de bureau pour y parvenir.

Il faut aussi planifier un autre type d'activités : les **activités à haut rendement** ou celles qui sont liées à votre rôle fondamental au sein de l'organisation, celles qui vous permettront également d'atteindre vos objectifs.

> LA MEILLEURE FAÇON D'OBTENIR CES PÉRIODES DE TRAVAIL EST DE LES PLANIFIER DANS VOTRE CALENDRIER.

Vous devez planifier des rendez-vous avec vous-même et ne pas le faire seulement « à l'occasion » ou lorsque vous débordez.

Si, par exemple, vous êtes responsable des comptes clients, combien de temps devriez-vous consacrer à cette activité afin que l'âge des comptes corresponde à vos standards ? Si vous estimez ce temps à quatre heures par semaine, vous devriez bloquer quatre heures dans votre calendrier pour cette activité.

D'autres exemples :

- Si vous êtes aux ventes, combien de temps devriez-vous consacrer à votre sollicitation ?
- Si vous avez du personnel à gérer, combien de temps devriez-vous consacrer à vos activités de gestion, aux évaluations, etc. ?
- Si vous avez des activités de recherche et développement, combien de temps devrez-vous y consacrer par semaine ?

Vous ne devriez pas laisser toutes ces **activités à haut rendement** à la merci de toutes les petites urgences, souvent bien moins importantes, ou ce que la plupart des gens appellent les *imprévus*.

La nature a horreur du vide ! Et la tendance humaine est de toujours traiter sur-le-champ les nouvelles actions. Cette tentation sera encore plus grande si vous n'avez rien planifié. Il ne s'agit pas de le faire pour toutes vos tâches ou activités, mais plutôt pour les plus stratégiques ou pour celles qui se prêtent à la technique du regroupement. De cette façon, vous pourriez même établir une certaine routine de travail qui correspond à votre description de tâches et à vos responsabilités.

Bloquer des plages de temps, c'est-à-dire prendre rendez-vous avec vous-même, relève surtout de la planification du moyen terme, par exemple de la semaine à venir. Le vendredi en fin de journée, prenez le temps de valider vos listes de tâches de la semaine suivante. Pourraient-elles être redistribuées ? Est-ce qu'il serait pertinent de bloquer des plages de temps pour certaines activités, pour certains groupes de tâches, pour une tâche en particulier ou même pour une partie d'une tâche qui demande un plus grand effort ?

Les activités pour lesquelles vous devez bloquer des plages de temps ne viennent pas nécessairement de la liste de tâches contenue dans votre agenda. C'est le cas, par exemple, de la gestion des comptes clients qui est documentée dans le logiciel comptable ou de la gestion des comptes clients qui est généralement planifiée dans votre CRM. Néanmoins, il est essentiel de tenir compte de toutes ces activités dans la planification globale de votre emploi du temps.

La méthode de prise de rendez-vous avec vous-même est encore plus importante si vous travaillez dans un environnement où les calendriers sont partagés. Dans un tel environnement, une plage de temps libre signifie pour plusieurs qu'elle est nécessairement disponible.

LA RÉSERVATION DE TEMPS DANS VOTRE CALENDRIER POUR EFFECTUER CERTAINES TÂCHES ET ACTIVITÉS, OU UN LOT DE TÂCHES, EST L'UN DES PILIERS D'UNE BONNE STRATÉGIE EN GESTION DU TEMPS.

Vos responsabilités et votre description de tâches

Il est facile de perdre de vue votre raison d'être au sein d'une entreprise, de manquer de temps pour l'essentiel, d'être insatisfait de vos résultats, de travailler fort tout en étant peu productif ou même de vous inventer du travail. Dans les faits, bien des gens oublient de répartir leur temps en fonction du rôle qu'ils doivent jouer dans l'organisation. À défaut d'une bonne planification, la mention *et toutes autres tâches connexes* de la description de tâches tendra à prendre de plus en plus de place.

En gestion du temps, l'essentiel est de bien distribuer le temps en fonction des responsabilités. Qu'elle soit formelle ou informelle, tous les employés ont une description de tâches : responsable des comptes clients, de l'innovation, de tel projet, de la gestion du personnel, de la coordination, etc.

Pouvez-vous énumérer vos tâches et vos responsabilités ?

Identifiez d'abord votre responsabilité ou vos responsabilités. Énumérez ensuite la liste des tâches ou des activités qui permettent de les actualiser. Déterminez enfin le temps que vous devez y consacrer. Voici un exemple :

Responsabilité : Ventes	
Tâches ou activités	**Planification**
Planification des appels et de la visite des clients	Une fois/semaine. Environ deux heures le vendredi
Appels de sollicitation (*cold calls*)	Équivalent d'une journée par semaine répartie en tranches de deux heures
Appels de suivi des offres	Une heure par jour
Appels de suivi après-vente	Équivalent d'une demi-journée répartie en deux périodes
Tâches de bureau	Vendredi en après-midi
Rencontres de clients	Au moins deux jours par semaine

Si j'utilise cet exemple de responsable des ventes, c'est parce qu'il est souvent difficile pour les gens qui occupent ce type de poste de ne pas être uniquement en mode réactif, de ne pas être à la merci des impératifs de temps des clients. De plus, il est souvent très difficile de convaincre un représentant que le temps qu'il consacrera à préparer ses itinéraires de visite des clients, à solliciter de la nouvelle clientèle et à faire un suivi plus systématique de ses offres est du temps mieux investi qui lui rapportera beaucoup plus que s'il laisse ses clients gérer son temps.

Bien utiliser votre calendrier

Vous devriez réserver du temps pour certaines activités en **prenant rendez-vous avec vous-même**. Le but de cet exercice est de transposer le temps que vous devriez consacrer à certaines tâches ou activités, surtout les plus importantes, sous forme de rendez-vous, de plages de temps réservées. Votre calendrier ne devrait pas servir seulement à noter vos rendez-vous et vos réunions réels. Votre calendrier doit refléter :

1. Vos rendez-vous et vos réunions ;
2. Certaines tâches ou blocs de tâches ;
3. Certaines activités stratégiques ;
4. Certaines activités liées à votre description de tâches ou à votre raison d'être dans l'organisation.

Cette approche est l'une des meilleures façons de lutter contre le syndrome de l'action immédiate. Évidemment, ces plages de temps ne doivent pas occuper toute votre journée, car vous recevrez aussi des courriels, vous aurez des appels à retourner, certaines demandes devront être traitées dans la journée, etc. Ce ne sont pas non plus toutes les tâches de votre liste qui doivent être prises en compte dans votre calendrier, car cela l'encombrerait (voir le chapitre 9, *Les outils de gestion du temps et leur utilisation*). Le pourcentage de temps qui doit être bloqué varie d'un individu à l'autre, en fonction de son poste et du type d'organisation dans laquelle il travaille.

La prise de rendez-vous avec vous-même présente plusieurs avantages, dont voici les plus importants :

- Accélère la planification de vos tâches ;
- Distingue plus facilement, en cours de journée, entre l'urgent et l'important ;
- Visualise mieux votre charge de travail ;
- Aide à mieux négocier votre emploi du temps ;
- Mène à mieux vous consacrer aux activités les plus importantes.

Attention ! Cette façon de procéder ne doit pas être vue comme une manière inflexible et défensive de gérer votre temps. Vous devez le voir comme un outil de réflexion et de communication concret et positif.

En réalité, il y a une grande différence entre dire : *Je n'ai pas le temps de faire ceci, je suis débordé !* Et répondre : *Ça me ferait plaisir de faire ceci ; par contre, je devrai mettre de côté les comptes clients cette semaine.*

DIRE OUI À QUELQUE CHOSE,
C'EST TOUJOURS DIRE NON À AUTRE CHOSE !

***

Voici quelques conseils pour mieux utiliser votre temps.

- ✓ Révisez ou rédigez la description de vos tâches et responsabilités.
- ✓ Identifiez vos tâches ou activités à plus haut rendement.
- ✓ Évaluez le temps que vous devriez consacrer aux tâches et responsabilités les plus importantes qui vous incombent.
- ✓ Bloquez des plages de temps dans votre calendrier pour l'exécution de certaines tâches ou activités.
- ✓ Bloquez des plages de temps pour l'exécution des tâches à regrouper.
- ✓ Bloquez des plages de temps pour l'exécution de certains projets.
- ✓ Créez, si possible, une certaine routine de travail pour des activités répétitives et planifiez-les dans votre calendrier.
- ✓ Minimisez autant que possible l'impact des « tâches connexes » sur votre emploi du temps.

21

Maîtrisez vos télécommunications

Le propre du téléphone,
c'est de sonner à l'improviste.

Robert Soulières

Pourquoi regrouper vos télécommunications ?

Toutes les formes de télécommunications, si elles sont mal gérées, peuvent être un réel fléau pour l'organisation de votre temps et de vos activités. J'ai déjà parlé des courriels et de l'importance de désactiver les alertes. Mais il y a également la messagerie instantanée qui peut, elle aussi, diminuer substantiellement la productivité si elle est mal utilisée.

Encore bien des gens ont du mal à s'accorder du temps pour exécuter, dans le calme et à l'abri des interruptions, certains travaux. S'ils ne répondent pas au téléphone alors qu'ils le pourraient, ces gens ont le sentiment de ne pas traiter leur clientèle correctement ou que le temps qu'il faudra pour rappeler certaines personnes qui leur ont laissé un message consommera rapidement le temps qu'ils ont économisé en ne répondant pas.

Voici ce que j'ai l'habitude de répondre à ces deux objections. D'abord, que les gens recherchent avant tout la fiabilité dans les retours d'appels, pas nécessairement une réponse sur-le-champ. Ensuite, qu'il existe bien des moyens d'éviter le jeu de ping-pong des retours d'appels en utilisant bien la boîte vocale et d'autres outils de télécommunication. J'y reviendrai dans les conseils à la fin du chapitre.

Il faut aussi parfois changer de perception, car la gestion des télécommunications est une saine pratique de gestion qui ne contrevient aucunement à un bon service à la clientèle. Au contraire, le traitement des demandes pourrait souvent être exécuté plus rapidement. Il faut donc faire la différence entre rapidité de réponse et rapidité d'exécution. L'objectif est d'atteindre un juste équilibre entre les deux.

La liste des écueils qu'une mauvaise gestion des appels entraîne est longue. Cette liste devrait vous convaincre que vous obtiendrez un immense gain de temps en gérant efficacement vos appels. Répondre à des appels aussitôt qu'ils arrivent :

- Favorise la dispersion ;
- Empêche de regrouper les tâches de même nature ;
- Fait perdre le cap et diminue la concentration ;
- Multiplie les temps de mise en place ;
- Crée des attentes plus grandes auprès de la clientèle ;
- Fait tomber plus facilement dans l'urgence ;
- Suscite le syndrome de l'action immédiate (je vais le faire tout de suite pour ne pas l'oublier...) ;
- Empêche de consacrer assez de temps aux activités les plus importantes, etc.

De plus, retourner un appel est toujours plus rapide que de répondre à un appel entrant. Pourquoi ? Pour plusieurs raisons, mais la principale est qu'en retournant un appel, on le dirige et qu'il est donc plus facile d'aller à l'essentiel. Une autre raison est que les appels peuvent alors être regroupés, ce qui, comme nous l'avons vu plus haut, est plus efficace. Ce qu'il faut retenir : quatre retours d'appels regroupés dureront nettement moins longtemps qu'il n'aurait fallu pour répondre immédiatement aux quatre appels initiaux.

Je demande parfois aux gens s'il leur arrive de travailler en dehors des heures normales de travail. S'ils répondent par l'affirmative, je leur demande s'ils ont le sentiment d'abattre, durant cette courte période, plus de travail que durant tout le reste de la journée. Bien sûr, la réponse est *Oui !* Et pourquoi ? Simplement parce qu'ils n'ont pas, durant ce temps, subi d'interruptions. Alors, pourquoi ne pas créer quelques périodes de temps semblables, mais durant les heures de travail ?

La gestion de l'information et des télécommunications dans les organisations

Il faut donc d'abord vous appliquer à bien gérer vos télécommunications : le téléphone, la messagerie vocale, les courriels, la messagerie instantanée (comme les textos, Skype et Lync) et généralement tout ce qui peut produire une interruption qu'il faut soit regrouper ou mieux gérer en priorité.

Je suis loin de condamner tous ces outils qui diminuent le temps de transmission et facilitent l'accessibilité, au contraire. Sauf s'ils sont mal utilisés et nuisent à la productivité ! Malheureusement, bien des entreprises omettent, lorsqu'elles introduisent des outils comme la messagerie instantanée, d'implanter en même temps des protocoles et des politiques d'utilisation. Un protocole devrait traiter du choix du bon outil, du bon moment et de la bonne façon d'envoyer un message. Il en va de l'intérêt même de l'organisation de bien réfléchir à l'utilisation de ses ressources.

Par exemple, elle devrait permettre aux employés de se débrancher à l'occasion, voire les encourager à le faire. Elle ne devrait pas inciter à communiquer de préférence avec ces outils entre collègues. Dans bien des cas, les communications avec de proches collègues seront beaucoup plus efficaces si elles se font de vive voix. À condition, bien sûr, de les regrouper ! Nous en reparlerons au prochain chapitre.

Les multiples informations qui circulent de nos jours continueront à vous nuire si vous ne prenez pas des mesures pour les contrôler. Mieux vaut vous adapter à ces changements et apprendre à gérer vos télécommunications. Sinon, ce sont elles qui décideront de votre emploi du temps à chaque instant de la journée. Il faut être vigilant !

***

Voici maintenant quelques conseils pour bien gérer vos télécommunications (à l'exception des courriels qui ont été traités dans un chapitre précédent).

En général :

- ✓ Évitez d'interrompre un travail pour répondre au téléphone dès qu'il sonne.
- ✓ Acceptez de changer votre perception : vous ne filtrez pas vos appels, vous les gérez.
- ✓ Prenez l'habitude d'être très fiable quant à vos retours d'appels.

Si quelqu'un prend vos appels :

- ✓ Préparez une liste des cas d'exception, c'est-à-dire des situations qui nécessitent une intervention de votre part compte tenu de l'appel ou de l'individu appelant et fournissez cette liste à la personne responsable de vos appels.
- ✓ Déterminez quelles sont les plages de temps que vous souhaitez vous réserver et pendant lesquelles vous ne serez pas disponible, puis fournissez cet horaire à la personne chargée de prendre vos appels.
- ✓ Faites en sorte que la barrière que vous posez ne soit pas infranchissable et qu'il soit possible de vous joindre en cas d'urgence.
- ✓ Si c'est possible, établissez des ententes avec certains collègues pour que la prise d'appels puisse être déléguée par moments.
- ✓ Évitez de disparaître. Informez votre entourage de vos allées et venues.

Si personne ne peut prendre vos appels :

- ✓ Limitez la durée des appels en prenant note des actions à poser et en proposant à votre interlocuteur de le rappeler dans un délai déterminé. Ces actions pourront être transformées en tâches lors de votre planification en fin de journée si elles n'ont pas encore été complétées.

Si vous utilisez une boîte vocale :

✓ Préparez un message d'accueil concis et complet.

✓ Refaites tous les jours votre message d'accueil en donnant la date et un aperçu de votre emploi du temps. Un message qui commence par la date du jour est généralement écouté jusqu'au bout. De plus, il transmet une image professionnelle et rassure, car il évoque la fiabilité.

✓ Précisez à quel moment ou dans quel délai vous retournerez vos appels. Soyez le plus précis possible. Pensez à gérer les attentes.

✓ Utilisez une formule du type : *Pour un retour d'appel plus efficace, n'hésitez pas à me laisser un message détaillé*, ou une variante de cette formulation.

✓ Si vous êtes souvent à l'extérieur du bureau, proposez sur votre message de vous contacter par courriel.

Si une personne est difficile à joindre :

✓ Si vous devez laisser plus d'un message à une personne pour réussir à la joindre, tentez de proposer des dates ou des heures pour vous contacter et invitez-la à vous répondre en précisant son choix. Tentez d'obtenir un rendez-vous.

✓ Si un individu est difficile à contacter et que vous êtes fréquemment à l'extérieur du bureau, demandez à quelqu'un de votre entourage d'obtenir un rendez-vous téléphonique avec cette personne.

✓ Si quelqu'un est difficile à contacter, proposez dans le message que vous lui laissez sur sa boîte vocale de vous contacter par courriel.

Si vous avez une messagerie instantanée :

✓ Développez un protocole interne. Que doit-on communiquer par ce canal, quand devrait-on l'utiliser et qui peut le faire ?

✓ Accordez-vous du temps « hors connexion ».

22

Gérez vos communications internes

Parler est un besoin, écouter est un art.

Goethe

Diminuez les interruptions entre collègues

Les communications internes, les demandes des autres et le bavardage peuvent être une grande cause de perte de temps au travail. Mais les communications internes sont également très précieuses, car elles permettent de bâtir des relations et favorisent les échanges d'idées. Il ne faut donc pas les combattre, mais simplement apprendre à mieux les gérer.

Les effets des interruptions internes

Supposons que vous vous fassiez interrompre toutes les huit minutes et que chacune de ces interruptions ne dure qu'une minute. Il vous reste donc sept minutes entre chaque interruption pour continuer votre travail. Toutefois, de ces sept minutes, il faut en enlever quatre pendant lesquelles vous retrouverez progressivement le niveau de concentration que vous aviez avant l'interruption. Vous ne disposez donc plus que de trois minutes pour continuer votre travail. Vingt fois trois minutes entrecoupées, ça donne bien une heure. Mais ça ne donne pas le même rendement qu'une heure de travail ininterrompu.

Baisse de concentration

Plus il y aura d'interruptions, plus votre rendement baissera. C'est donc dire qu'il vous faudra beaucoup plus que soixante minutes entrecoupées pour terminer un travail qui, normalement, n'aurait pris qu'une heure. Ces données sont d'ailleurs mesurables et l'ont été à maintes reprises. C'est ainsi que Sune Carlson, économiste suédois du siècle dernier, a démontré que le rendement diminuait proportionnellement au nombre d'arrêts du flot de travail. Le professeur Carlson en a tiré la « loi des séquences homogènes de travail » ou « loi de Carlson », qu'il a formulée ainsi : « Exécuter un travail en continu prend moins de temps que de le faire en plusieurs fois. Tout travail interrompu est moins efficace. »

Baisse d'intérêt

La baisse du niveau de concentration entre chaque interruption entraîne une diminution de l'intérêt que suscite un travail. Plus une personne se fait interrompre, plus son niveau d'intérêt baisse. **Après cinq ou six interruptions**, la majorité des gens abandonneront le travail qu'ils avaient commencé et le remettront à plus tard.

Fondamentalement, ce sont les mêmes écueils que ceux provoqués par les télécommunications.

Mais qu'en est-il de la coopération ? On ne peut pas – et l'on ne doit certainement pas – se replier sur soi pour diminuer les interruptions, et ne faire que son travail, sans se soucier des autres. La coopération favorise l'avancement des travaux et la création de liens souvent importants entre les gens qui œuvrent au sein d'une même entreprise. Il faut toutefois garder en tête que la disponibilité à outrance n'est pas meilleure que l'absence de disponibilité.

Dotez-vous d'un bon système de communications internes

Personnellement, je n'ai rien contre les espaces de bureau ouverts où les postes de travail des individus sont séparés par des cloisons basses. Même que je les aime bien... Ces espaces facilitent la communication et offrent aussi un dynamisme que j'apprécie. Tout cela est positif à condition que les individus soient disciplinés dans leur gestion des communications internes.

La solution pour ne pas interrompre constamment ses collègues proches n'est pas « de leur envoyer des courriels pour ne pas les déranger ». Le courriel est un moyen de communication unidirectionnel. Il ne permet pas de reformuler ou de poser des questions. De plus, un courriel est plus long à écrire que deux ou trois mots dans le cahier de notes pour nous rappeler ce que nous voulons dire à la personne. Un courriel pourrait même compliquer les choses s'il n'est pas clair et est mal compris.

Maintenant, voici ce que j'entends par un bon système de communications internes et de quelle façon je vous suggère de le mettre en place.

Identifiez d'abord les gens avec lesquels vous interagissez le plus souvent. Même dans une grande entreprise, il y a toujours un groupe de quelques individus avec lesquels vous devez communiquer plus fréquemment, généralement de cinq à huit, tout au plus.

Ensuite, créez un contenant pour chacune de ces personnes. Ces contenants vous permettront d'accumuler systématiquement tout ce dont vous voulez discuter avec ces personnes.

Par exemple, les contenants pourraient simplement être des chemises identifiées au nom des différentes personnes. Cependant, il est très important d'avoir un contenant par individu, car vous interagirez avec chacun à des fréquences différentes. Évidemment, il serait préférable que ces mêmes personnes adoptent une approche identique : suggérez-leur d'essayer !

Par la suite, insérez dans sa chemise toute information qui concerne l'une de ces personnes au fur et à mesure qu'elle arrive ou vous vient en tête. Faites de même avec les idées à partager et les questions à poser que vous inscrirez sur une feuille de papier et glisserez dans la chemise de la personne visée.

Il suffit ensuite de choisir la fréquence à laquelle ces informations seront communiquées. Quel moment de la journée ou de la semaine convient le mieux pour vous rencontrer et échanger ces informations ?

De cette façon, vous éliminerez une grande partie de vos interruptions. De plus, certaines questions se régleront d'elles-mêmes et ne nécessiteront plus de discussion. Bien sûr, vous ne pourrez pas placer les questions urgentes dans ces chemises. Mais les interruptions pour des questions moins importantes sont beaucoup plus fréquentes que les interruptions pour des questions urgentes. Trop souvent, des questions sont traitées dans l'urgence simplement parce que les gens n'ont pas une bonne méthode pour les gérer : ils ont simplement peur de les oublier.

Le regroupement des communications internes est un geste simple et très rentable, mais que très peu d'individus appliquent systématiquement.

Vous pouvez directement appliquer ce système dans Outlook ou un autre logiciel de gestion de temps. Pour ma part, j'ai créé une catégorie de tâches que j'ai nommée « Communications individuelles » :

Catégories: Communications individuelles (8 éléments)	
Caroline	lun. 2015-03-30
Yves	lun. 2015-03-30
Geneviève	lun. 2015-03-30
Daphné	lun. 2015-03-30
Mélanie	lun. 2015-03-30
Michel	mar. 2015-03-31
Jean-Luc	mer. 2015-04-08
Lucie	mer. 2015-04-08

À l'intérieur de cette catégorie, j'ai créé des tâches pour chacune des personnes avec lesquelles je dois communiquer régulièrement. Lorsqu'une idée, une suggestion ou une demande concernant l'une de ces personnes me vient à l'esprit, j'ouvre la tâche et j'y note les informations que je dois lui communiquer. Quand vient le moment de la rencontrer ou de lui téléphoner pour faire le point, j'ouvre simplement cette tâche et j'y trouve, regroupées, toutes les informations que je désire lui communiquer.

Cette tâche est formatée sous forme de tableau. Je peux aussi y joindre des fichiers ou des courriels dont je désire discuter. Lorsque l'entretien est terminé, le tableau de la tâche est vide et je déplace celle-ci à une date ultérieure. Ensuite, il me suffit d'aller la chercher et de la remettre à la date de la journée en cours quand je désire y ajouter des éléments. Évidemment, ces tâches ne sont jamais marquées comme étant terminées : ce sont des fiches de communication équivalentes aux chemises dont j'ai parlé plus haut.

Exemple de tâche de communication :

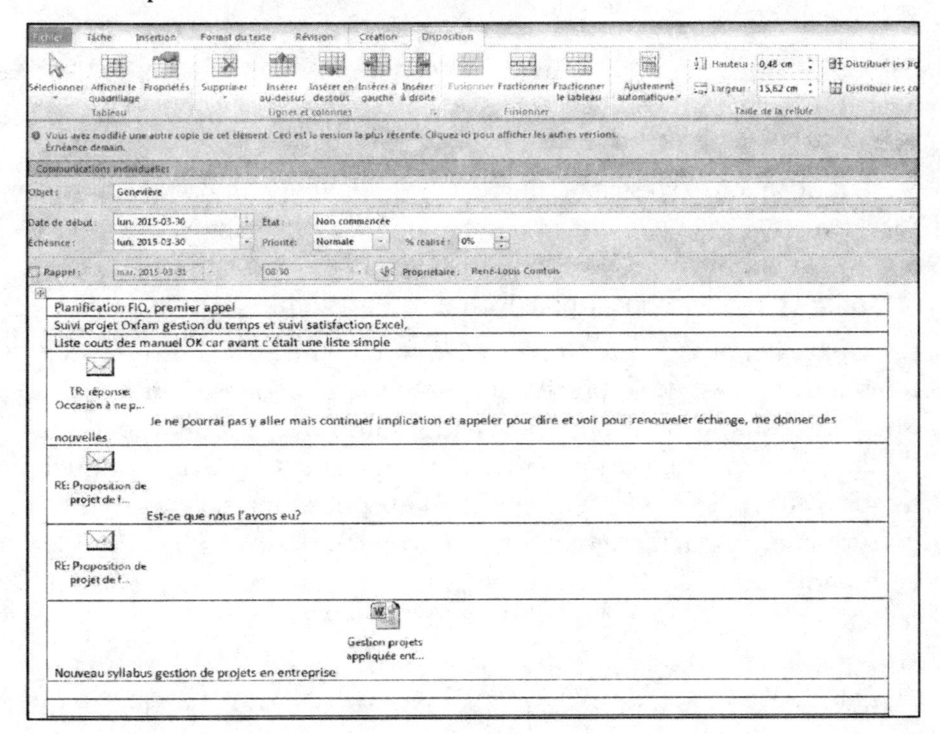

J'estime avantageux d'utiliser une tâche dans Outlook parce que je peux y insérer des courriels sans devoir les imprimer. Je peux aussi envoyer ma tâche sous forme de *Rapport d'état*, ce qui revient à envoyer la tâche par courriel à quelqu'un pour discuter plus facilement. Dans les cas où je dois aller au bureau de l'autre personne, il sera plus facile de discuter de tous les points importants.

Remplacez quantité par qualité

La communication verbale reste plus efficace que l'écrit, car vous pouvez clarifier et préciser tout au long de la conversation. En regroupant les sujets et en les communiquant directement à la personne concernée, vous diminuerez beaucoup le nombre d'interruptions que vous causerez.

Évidemment, vous ne réglerez pas toutes les questions ainsi. Il restera toujours des urgences dont vous devrez vous occuper immédiatement. Que vous utilisiez les chemises, les fiches ou l'informatique, il faut de la souplesse dans votre système. Mais les urgences, les vraies, sont-elles nombreuses à ce point ? Dans la majorité des entreprises, les interruptions pour des questions mineures ou moins pressantes sont beaucoup plus nombreuses que celles pour des questions urgentes.

Il faut savoir, cependant, que le système que je propose peut parfois être mal perçu. Certains y verront un mode de gestion trop rigide qui brime une saine communication. Vous devez donc vous assurer d'expliquer et de proposer positivement ce système.

La meilleure façon d'expliquer le regroupement des communications internes est de le présenter comme une façon de **diminuer la quantité dans le but d'améliorer la qualité des communications**. En effet, comment pourrions-nous offrir une écoute active, prendre le temps d'échanger et de bien répondre aux questions si nous sommes constamment bombardés par les interruptions ? Ce qui améliore les communications, ce n'est pas la quantité d'interactions, mais bien leur qualité.

Dans le même ordre d'idée, si un collègue, un employé ou votre patron est dans votre bureau et que votre téléphone sonne, n'y répondez évidemment pas ! Quand je mentionne ce sujet, les gens me disent : *Oui, c'est vrai. Parfois, je suis dans le bureau d'un tel ou d'une telle. Son téléphone sonne et il ou elle y répond. Je considère ça comme un manque de respect.* Ce à quoi je réponds : *Peut-être bien, mais vous, étiez-vous entré dans son bureau comme un coup de téléphone* ?

Dans bien des cas, tout cela remonte à la culture interne, à la façon dont l'entreprise gère ses communications internes. À mon avis, il est essentiel que les organisations développent une culture des communications, qu'elles en fassent même une valeur.

***

Voici quelques conseils pour mieux gérer les interruptions.

- ✓ Avant de commencer à exécuter votre liste de tâches, vérifiez si vous devez consulter un ou des collègues pour certaines d'entre elles. Si c'est le cas, effectuez votre collecte d'informations en une seule fois et profitez-en pour discuter des autres points que vous avez accumulés dans votre système de communications internes.
- ✓ Avant de vous mettre au travail, pensez à aller chercher tous les dossiers dont vous aurez besoin durant la journée.
- ✓ Évitez de vous déplacer inutilement afin d'être moins vulnérable aux interruptions.
- ✓ Évitez de laisser une chaise vide devant votre table de travail. Les entretiens en position debout sont toujours plus rapides. Mettez vos chaises un peu à l'écart et invitez les gens à en approcher une si vous décidez d'accorder du temps à l'entretien. L'idéal, si la taille de votre bureau le permet, est d'installer une petite table à part où tenir de courtes réunions.
- ✓ Quand on vient vous interrompre, résistez à la tentation de répondre sur-le-champ et fixez un rendez-vous pour un peu plus tard dans la journée. Dans bien des cas, la question aura été réglée avant le rendez-vous.
- ✓ Prenez vos précautions au début de certaines interruptions en informant votre visiteur du temps dont vous disposez. Il sera plus facile de mettre fin à la conversation, sans pour autant vexer votre interlocuteur, si vous avez d'abord négocié la durée de l'entretien.
- ✓ Affichez sur votre porte un petit écriteau indiquant *Non disponible entre telle heure et telle heure.* (Vous pourriez ajouter une petite note gentille comme *Merci de votre compréhension*.) Un tel système est toujours plus respecté et facile à accepter pour les autres qu'une porte simplement fermée puisque les périodes de temps sont claires et définies.
- ✓ Faites à l'occasion un petit examen de conscience en vous demandant : Est-ce que j'interromps souvent les autres ? Est-ce que j'essaie vraiment d'éviter les interruptions ? Votre façon d'agir indique aux autres comment ils peuvent eux-mêmes agir envers vous.

- ✓ Prenez des arrangements pour travailler à la maison ou pour vous installer dans un endroit calme, ailleurs que dans votre bureau, quand c'est nécessaire et si cela est possible. De plus en plus d'entreprises encouragent cette approche (durant les heures de travail, bien sûr).
- ✓ Si vous êtes en position de le faire, développez une culture des communications internes dans votre entreprise.
- ✓ Si vous êtes en position de le faire, mettez à la disposition du personnel une pièce à l'abri des interruptions.
- ✓ Développez un bon système personnel de communications internes !

23

Facteurs à considérer dans la planification de votre temps

Le travail du matin vaut de l'or.

Proverbe allemand

Être efficace d'accord, mais attention, nous ne sommes pas des machines ! Les machines, si elles sont bien entretenues, peuvent travailler à un rythme soutenu presque sans arrêter. Mais pas nous ! Deux facteurs doivent être considérés :

- Nos cycles d'énergie ;
- Les séquences de travail.

La prise en compte de ces deux facettes aura pour conséquence, non seulement de mieux respecter vos besoins fondamentaux, mais aussi, paradoxalement, d'augmenter votre efficacité.

Respectez vos cycles d'énergie

L'astronome français Jean-Jacques Dortous de Mairan aurait été le premier à soupçonner l'existence de nos « horloges biologiques ». Il s'intéressait alors à l'héliotrope, cette fleur qui déplie ses feuilles à la lumière et les replie dans l'obscurité. Mais il faudra attendre jusqu'en 1950 pour que Colin Pittendrigh de l'Université de Stanford prouve l'existence de ces horloges biologiques chez les humains, horloges qui sont, selon ce chercheur, l'une des propriétés fondamentales de la vie. Pittendrigh a prouvé que ces cycles d'énergie influencent notamment notre rythme cardiaque, nous rendant plus aptes à faire certaines activités à certains moments. Notre capacité de concentration et notre efficacité intellectuelle seraient également influencées par ces cycles, d'où l'importance de les connaître et de les respecter.

Pour mieux utiliser votre temps

Que répondez-vous à la question suivante? *À quel moment de la journée êtes-vous le plus efficace pour faire un travail qui demande de la concentration ou de la créativité?*

- ❑ Entre 8 heures et 11 heures de l'avant-midi
- ❑ Entre 13 heures et 16 heures de l'après-midi

Les gens répondent habituellement « Entre 8 heures et 11 heures de l'avant-midi ». C'est un fait souvent observé. Voici ce qu'en dit Jean Lepelletier dans son livre *Inventez votre efficience*[5] : « On constate en moyenne un accroissement d'efficience depuis le début de la matinée jusque vers midi, puis une chute vers 13-14 heures (sans lien direct avec le repas) et une remontée à partir de 15 heures jusqu'à 19 heures où elle diminuera à nouveau pour chuter vers 23 heures. Cette courbe est universelle, mais peut être décalée dans un sens ou dans l'autre selon que vous êtes "du matin" ou "du soir". »

Et maintenant, si je vous demandais: *Quelles tâches accomplissez-vous pendant vos heures les plus productives?*

À cette deuxième question, bien des gens répondent: *Mes retours d'appels, mes courriels et toutes les petites tâches qui se présentent* (*Last in, First out*).

Et maintenant, on pourrait poser la question suivante: *Est-ce que c'est un bon choix?* C'est justement la période où la majorité d'entre nous sommes le plus efficaces et productifs. Ne devrions-nous pas profiter de cette période pour exécuter les activités les plus exigeantes, souvent celles qui sont à plus haut rendement?

---

5. Jean Lepelletier, *Inventez votre efficience*, Barret-Le-Bas, Éditions Le Souffle d'Or, coll. Parole, 1997.

Nous touchons ici un point fondamental et stratégique :

- Vous devriez planifier votre journée selon vos cycles d'énergie en vous consacrant d'abord (si vous êtes du matin) aux activités qui requièrent le plus de concentration et qui sont d'ailleurs souvent les plus importantes.
- Vous devriez éviter de tomber dans le piège de la fausse productivité qui vous incite à « cocher » d'abord le plus grand nombre de tâches possible. Évitez de commencer systématiquement par les petites tâches. Choisissez la qualité et non la quantité.

Voici une illustration de l'horloge biologique[6] :

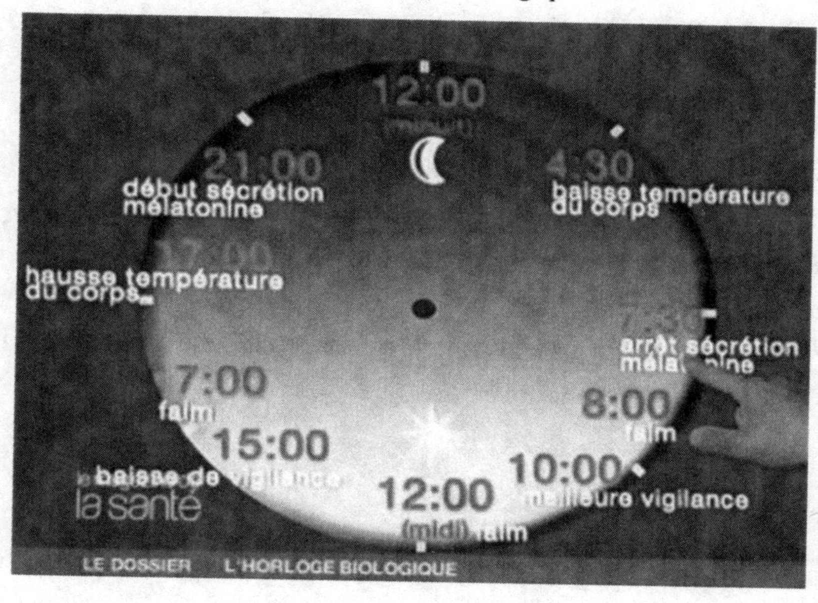

Respectez la durée maximale des séquences de travail

Il est important de comprendre que demeurer à votre poste de travail sans interruption n'est pas nécessairement productif. La durée maximale d'une période de travail ne devrait pas dépasser *une heure et demie*.

---

6. Source L'humanosphère : http://www.humanosphere.info/.

Au-delà, votre intérêt et votre niveau de concentration baisseront et vous deviendrez moins efficace.

Les rythmes ultradiens

Ce phénomène d'efficacité négative serait relié aux rythmes ultradiens observés par Ernest Rossi, qui les décrit comme une sorte de « débranchement » du cerveau. À ce moment-là, le niveau de concentration devient donc pratiquement nul.

L'incapacité à soutenir un travail au-delà d'une certaine durée a d'ailleurs été observée par plusieurs, dont Ivan Illich qui a démontré que les entreprises où les employés ne prennent pas de pauses sont moins performantes. Selon lui, « au-delà d'un certain seuil, l'efficacité humaine décroît et devient négative ».

De plus en plus de gens ne prennent pas de pauses au travail. Cette mauvaise habitude, en plus de diminuer l'efficacité, favorise les interruptions. Quand vous vous sentez fatigué, vous trouvez facilement une bonne raison pour aller discuter (du travail, bien sûr) avec un collègue.

Il faut donc vous dire que prendre une pause, une vraie pause, n'a rien d'improductif. Au contraire !

***

Voici quelques conseils pour optimiser vos journées.

- ✓ Apprenez à connaître vos cycles d'énergie.
- ✓ Organisez votre travail en fonction de vos cycles d'énergie. Faites coïncider vos heures productives avec vos tâches à haut rendement ou à plus haute exigence cérébrale.
- ✓ Évitez de commencer la journée en vous acquittant d'une foule de petites tâches courtes ou plaisantes. Consacrez les heures où votre énergie est maximale aux tâches qui contiennent une valeur ajoutée.
- ✓ Prenez conscience de vos baisses de productivité et prenez des pauses lorsqu'il est nécessaire de refaire le plein d'énergie.
- ✓ Évitez d'aller interrompre les autres lorsque vous sentez une baisse d'énergie : prenez plutôt une pause.

24

Communiquez efficacement

La chose la plus importante en communication, c'est d'entendre ce qui n'est pas dit.

Peter Drucker

Il y a un lien certain entre les communications et la gestion du temps. En effet, il existe peu d'activités qui ne supposent pas une forme de communication : déléguer un travail, animer une réunion, téléphoner à un client, gérer un projet, préparer une campagne publicitaire, envoyer un courriel à un collègue, communiquer sur Internet, participer à des réseaux sociaux, etc.

De ce fait, le manque de qualité dans les communications peut être une source de pertes de temps et d'efficacité, d'incompréhensions, d'erreurs et de conflits.

L'importance des communications augmente constamment, au fur et à mesure que les technologies se développent. Cette progression a eu un effet direct sur les impacts de la communication en multipliant les interactions entre un nombre croissant d'individus. Pour reprendre une expression de l'économiste et sociologue Marc Guillaume, nous sommes devenus une « société commutative ». Dans une telle société, la facilité d'échanger permet à tous de communiquer, ce qui a un impact certain sur notre environnement social au travail.

Puisque nous sommes dans l'obligation d'interagir constamment avec beaucoup de gens, la communication est devenue une habileté indispensable. Les aptitudes à communiquer et à gérer les communications peuvent faire pencher la balance entre succès et échec dans toutes les activités et dans toutes les relations interpersonnelles.

Comment pouvez-vous réussir dans ce domaine? En respectant les composantes essentielles d'un acte de communication.

Les deux facettes de la communication

La communication est un acte complexe. Toutefois, le schéma qui suit en résume bien la dynamique principale.

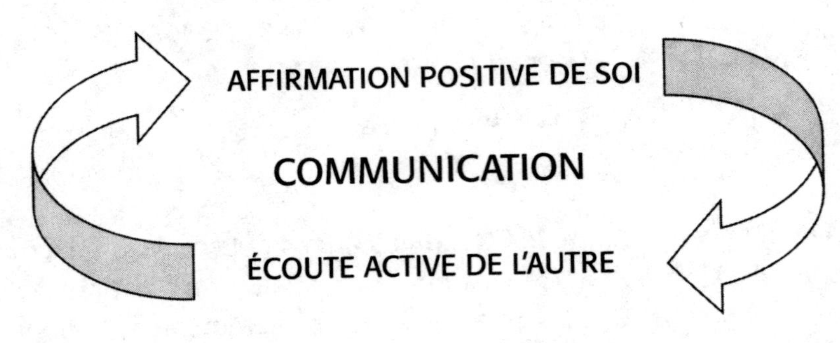

Par exemple, dans l'acte de déléguer, l'affirmation de soi est importante chez la personne qui délègue. Elle lui permet de bien faire connaître ses attentes, de s'affirmer clairement. Quant à la personne qui reçoit le mandat, elle est davantage engagée dans un processus d'écoute. La réalisation du mandat serait affectée si les directives étaient embrouillées. Mais la responsabilité du succès de cette communication ne repose pas uniquement sur celui qui donne le mandat : c'est une responsabilité partagée. En effet, écouter ne veut pas dire « se taire » et simplement entendre les mots, mais poser des questions, s'entendre sur les termes, comprendre les attentes, expliquer sa position, reformuler aussi souvent que nécessaire et, bien sûr, comprendre le langage non verbal de la personne que l'on écoute.

Attention aux malentendus !

Les composantes de la communication englobent non seulement les mots, mais aussi tous les comportements qui ont une valeur de message. Un silence peut être plus lourd de sens qu'une longue conversation ! Le non-dit, les omissions, le ton de la voix sont eux aussi porteurs de sens.

D'après Albert Mehrabian, chercheur à l'Université de Californie, les mots ne constitueraient que 7 % du contenu d'un message. L'impact de la voix compterait pour 38 % et celui du langage corporel, pour 55 %. Regardons ensemble ces diverses composantes.

7 %	**Les mots**
38 %	**La voix** Le ton Le débit La hauteur L'amplitude de la voix Le timbre L'intensité L'intonation Le rythme La prononciation
55 %	**Le langage non verbal** L'apparence L'attitude La posture L'orientation du corps Les gestes La démarche L'expression du visage Le contact visuel La distance

Ces données ne doivent cependant pas être prises au pied de la lettre. La prédominance du langage non verbal varie en effet en fonction des différents contextes de communication. Par contre, ces chiffres aident à prendre conscience, par exemple, que dans une communication transmise par courriel, une très grande partie de l'interprétation repose seulement sur les mots. D'où l'importance de se relire à l'occasion et de se mettre à la place du destinataire...

Le fait de bien comprendre les composantes de la communication nous sensibilise donc à l'importance de bien soigner celles-ci et de choisir le bon moyen selon les situations ou les messages à transmettre.

Le courriel, comme toute forme d'écrit, ne permet pas le genre de réaction et d'ajustement qu'offre la rencontre en tête-à-tête dans laquelle il est toujours possible de dire : *Si j'ai bien compris...* Le courriel nous prive également de toute indication sur la réaction de celui qui reçoit notre courriel. Pas de gestes, pas de mimiques : impossible de savoir s'il a sursauté en lisant nos propos et s'il se sent vexé, des choses qui seraient très facilement décelées dans une conversation en personne. Le manque de rétroaction et la perte des messages non verbaux augmentent les possibilités de conflits et de fausses interprétations.

L'absence d'autres indications que les mots devrait nous inciter à mieux rédiger nos courriels, à les soigner. De mauvaises communications peuvent engendrer des malentendus beaucoup plus longs et coûteux à réparer que le temps économisé grâce à la rapidité du courriel. D'ailleurs, les erreurs d'interprétation et les frustrations difficiles à corriger sont beaucoup plus fréquentes qu'on ne le croit dans ce domaine !

On ferait fausse route en pensant que la communication est une compétence naturelle. Pensons simplement au manque d'écoute : un psychologue, dans une conférence à laquelle j'avais assisté, affirmait que la capacité d'écoute chez l'humain est limitée et la compréhension effective serait d'environ **35 %** d'un message parlé !

Comme le dit Bernard Werber :

« Entre...
ce que je pense,
ce que je veux dire,
ce que je crois dire,
ce que je dis,
ce que vous avez envie d'entendre,
ce que vous croyez entendre,
ce que vous entendez,
ce que vous avez envie de comprendre,
ce que vous croyez comprendre,
ce que vous comprenez,
il y a dix possibilités qu'on ait des difficultés à communiquer.
Mais essayons quand même... »

Bien choisir votre mode de communication

Pour bien communiquer, il peut parfois être utile de vous servir de plus d'un moyen de communication : un message électronique suivi d'un coup de fil, une proposition par courriel suivie d'un lunch d'affaires, une réunion suivie d'un résumé par courriel, etc. Étant donné que chaque véhicule comporte ses forces et ses faiblesses, il vaut toujours la peine de vous assurer que vous choisissez le plus efficace.

De nos jours, nous avons des outils très performants qui ont accéléré le rythme et la rapidité des communications. Mais il ne faut pas que la qualité en souffre. Comme tout ce qui est important, les communications méritent d'y consacrer le temps nécessaire.

***

Voici quelques conseils pour mieux communiquer.

✓ Avant de communiquer une information, réfléchissez au meilleur moyen de communication dans les circonstances : courriel, rencontre, téléphone, etc.

✓ Si nécessaire, utilisez plus d'un mode de communication : l'un verbal, pour vérifier la compréhension, et l'autre écrit, car les écrits restent. Vous aurez ainsi deux façons de vérifier que vous vous comprenez.

- ✓ Manifestez votre intérêt durant une communication. Regardez l'autre, montrez que vous écoutez en hochant la tête ou en disant *Je vois, je comprends*.
- ✓ Utilisez la reformulation pour être certain d'avoir bien compris en disant des phrases comme *Si j'ai bien compris...*
- ✓ Pensez à prendre des notes au lieu de vous fier uniquement à votre mémoire. Grâce à elles, vous pourrez plus facilement reformuler.
- ✓ Pensez à poser des questions ouvertes, comme celles qui suivent :
  - *Que voulez-vous dire quand vous dites... ?*
  - *Pourriez-vous clarifier tel point, je ne suis pas certain d'avoir bien compris ?*
  - *Comment décrirais-tu le principal objectif?*
  - *Quelle est, d'après toi, la meilleure façon d'y arriver ?*
- ✓ Utilisez des phrases positives.
- ✓ Lorsque vous vous adressez à quelqu'un, ne tenez pas pour acquis qu'il a compris ce que vous vouliez dire et invitez la personne à reformuler : *Pourrais-tu résumer..., Si on récapitulait...*
- ✓ En vous adressant à quelqu'un, soignez le ton de votre voix (surtout au téléphone).
- ✓ Pensez à sourire, même au téléphone.
- ✓ Observez le langage corporel de l'autre.
- ✓ Surveillez votre attitude physique et votre langage corporel.
- ✓ Quantifiez tout ce qui est quantifiable. N'oubliez pas que tout ce qui est quantifiable sera toujours quantifié de façon différente par les gens. Il faut être précis et éviter les mots comme beaucoup, souvent, trop, etc. C'est *combien*, beaucoup, souvent, trop, etc. ?

Les règles de base d'une bonne communication par courriel

Avec la place qu'occupent maintenant la gestion et surtout la manipulation des courriels dans les organisations, un nombre croissant de celles-ci se dotent d'un protocole courriel.

Ces protocoles sont composés, ni plus ni moins, d'une série de principes simples basés sur le gros bon sens et dont la mise en place aura un effet des plus positifs sur la productivité ainsi que le bien-être au travail. J'ai retenu les meilleures règles dans la liste qui suit tout en y ajoutant d'autres qui me semblent importantes.

***

Voici quelques conseils pour mieux communiquer par courriel.

- ✓ N'utilisez la fonction de copie conforme que si votre message contient une valeur ajoutée pour les destinataires.
- ✓ Évitez d'utiliser la fonction « Répondre à tous ».
- ✓ Ne mettez pas un destinataire dans la zone cc si votre message contient une tâche qu'il doit accomplir.
- ✓ N'envoyez pas une demande de tâche par courriel si celle-ci doit être exécutée en moins de quatre heures.
- ✓ Assurez-vous que les messages que vous envoyez ont un objet clair et qui invite à l'action. Par exemple : *Pour fixer une rencontre, En réponse à votre question, Point à clarifier, Confirmation d'entente, Projet x, Demande d'approbation*, etc.
- ✓ Rédigez des messages tout à la fois courts, clairs et sans ambiguïté. La rédaction d'un courriel est un art.
- ✓ Ne traitez pas plusieurs points différents dans un même courriel : deux points, au maximum trois.
- ✓ Réalisez des visuels faciles à lire.
- ✓ Assurez-vous que tous les points contenus dans un courriel s'adressent au même destinataire. En d'autres mots, n'utilisez pas un seul courriel pour traiter de trois points qui s'adressent à trois personnes différentes.

- ✓ Prévoyez vos suivis. Si deux points s'adressent à une personne et que ces deux points demandent des suivis différents, envoyez-lui plutôt deux courriels. Vos suivis seront ainsi plus faciles à gérer.
- ✓ Soignez le ton de vos courriels. Par exemple, n'utilisez pas les majuscules qui signifient la colère.
- ✓ N'oubliez pas d'inclure les mots et les formules de politesse.

25

Savoir déléguer ou recevoir un mandat

Le meilleur manager est celui qui sait trouver les talents pour faire les choses, et qui sait aussi réfréner son envie de s'en mêler pendant qu'ils les font.

Theodore Roosevelt

Dans le contexte de la gestion du temps, déléguer consiste simplement à confier une tâche ou un mandat à quelqu'un d'autre. L'idée de déléguer est souvent rattachée à celle d'autorité : on délègue souvent *du haut vers le bas.* Mais on peut aussi déléguer **latéralement, vers le haut ou à l'extérieur.** Tout le monde délègue dans un univers où tout est relié et dans lequel tous communiquent. Tous confient à quelqu'un d'autre, à un moment donné, une tâche grande ou petite, quel que soit son rang dans la hiérarchie de l'entreprise.

En partant du fait que la délégation nous concerne tous et sachant que la communication est au cœur de nos préoccupations, il faut alors nous poser cette question : « Est-ce que je communique efficacement quand je confie un mandat ou que l'on me confie un mandat ? »

Bien déléguer nécessite d'y consacrer le temps voulu

Déléguer est un processus somme toute fort simple avec des étapes et des gestes-clés bien connus.

Alors, pourquoi les gens négligent-ils souvent de bien déléguer? Peut-être par manque de temps puisque c'est généralement lorsqu'ils sont à court de temps qu'ils décident de déléguer. Mais le manque de temps est une piètre excuse puisqu'un mandat mal délégué fait perdre beaucoup de temps par la suite.

Il existe peut-être une autre raison. En effet, les gens délèguent souvent à la hâte parce qu'ils ont tendance à présumer, ou à espérer, que la personne à laquelle ils confient un mandat est aussi bien informée qu'eux. C'est très humain, mais peu réaliste.

Une troisième raison est, selon moi, peut-être plus importante que les deux précédentes: l'habitude d'agir à la hâte, tout simplement. Bien préparer la délégation d'une tâche ou d'un projet, c'est en préparer le succès. Dans toutes les circonstances, il faut éviter l'improvisation!

***

Voici donc les conseils, les principales étapes et les gestes-clés pour bien déléguer.

✓ Demandez-vous si certaines de vos tâches devraient être déléguées.

✓ Identifiez bien la personne qui devrait s'en charger.

✓ Habituez-vous à faire confiance.

✓ Prenez l'habitude de bien vous préparer avant de confier un travail.

✓ Assurez-vous que la personne qui reçoit le mandat est vraiment en état de réceptivité et qu'elle peut prendre des notes.

✓ Transmettez clairement vos objectifs et vos attentes, prenez le temps de bien les expliquer et assurez-vous de la compréhension de l'autre. Invitez la personne à reformuler.

✓ Transmettez toute l'information que vous possédez.

- ✓ Vérifiez avec la personne choisie qu'elle est en mesure d'exécuter la tâche.
- ✓ Déterminez avec la personne une stratégie d'exécution.
- ✓ Établissez le niveau d'autorité de la personne au cours de ce mandat et fixez certaines balises (dépenses possibles, personnes qu'il lui est permis de contacter et ce qu'elle peut leur demander, etc.).
- ✓ Convenez d'un échéancier clair et précis.
- ✓ Assurez-vous de la faisabilité de l'ensemble, de l'échéancier et de la tâche, avec la personne que vous chargez du mandat.
- ✓ Établissez certains suivis et contrôles selon le niveau d'expérience de la personne responsable et votre degré de confiance envers elle.
- ✓ Acceptez l'idée que le travail sera peut-être fait autrement que si vous l'aviez fait vous-même. L'important, c'est l'atteinte de l'objectif.
- ✓ N'oubliez pas de donner une rétroaction à la personne et de la féliciter à l'occasion.

Recevoir un mandat

Il arrive aussi que vous receviez une demande à votre tour: celle-ci peut aussi bien provenir de l'interne que de l'externe. Et il arrive également, bien sûr, que le demandeur ne soit pas clair. Alors, pourquoi vous en tenir à ce qu'il a dit?

Il est aussi incorrect d'accepter une tâche qui ne semble pas claire que d'en transmettre une de manière floue. Il vous appartient donc de faire de la réception d'une demande **une communication réussie.**

Sans surprise, les principes à appliquer sont essentiellement les mêmes que ceux décrits dans la délégation, mais dans l'autre sens.

***

Voici quelques conseils pour bien recevoir un mandat.

- ✓ Lorsqu'on vous confie un mandat, placez-vous dans un état de réceptivité et prenez des notes.
- ✓ Reformulez afin de vous assurer de bien comprendre ce que l'on attend de vous.
- ✓ Clarifiez les objectifs et les attentes de la personne qui vous confie le mandat.
- ✓ Établissez des livrables clairs et précis.
- ✓ Demandez à recevoir toute l'information nécessaire.
- ✓ Informez votre interlocuteur de vos disponibilités et convenez d'un échéancier.
- ✓ Énumérez au besoin les étapes à suivre pour exécuter le travail qui vous est confié.
- ✓ Établissez les priorités si le mandat vous est confié par quelqu'un à l'interne.
- ✓ Pour les mandats longs, allez valider l'évolution du travail à certaines étapes que vous jugez importantes.

26

Évitez la procrastination

Faites ce que vous voulez avoir fait, avant ce que vous avez envie de faire.

Proverbe chinois

Ne remettez plus à demain

Nous avons tous tendance à remettre des choses à plus tard, à procrastiner. Sous prétexte de multiples urgences, nous mettons de côté et remettons constamment à plus tard certaines tâches longues ou complexes qui se retrouvent, jour après jour, à la fin de notre liste de priorités.

Le mot « procrastiner » (qui tarde à faire son entrée dans le dictionnaire, même s'il vient du latin *procrastinare*) veut dire « remettre au lendemain » sans pour autant choisir de ne rien faire, mais plutôt en faisant autre chose. Procrastiner signifie donc *remettre à plus tard tout en faisant autre chose*. C'est la deuxième partie de la définition qui est la plus intéressante !

Il existe, de nos jours, bien des tentations qui portent à procrastiner. Pensons aux alertes de courriels qui sont des appels tellement fréquents à faire autre chose que ce qu'il faudrait faire ainsi qu'à toutes les informations qui foisonnent au rythme effréné du 21e siècle !

L'habitude de remettre une tâche à plus tard dépend parfois du degré d'intérêt qu'un travail suscite. Nous remettons à plus tard les tâches qui nous plaisent le moins. Nous éprouvons une émotion négative lorsqu'une tâche nous intéresse assez peu : pour nous en libérer, nous nous hâtons d'entreprendre n'importe quelle activité apte à la remplacer. Et les possibilités sont tellement nombreuses !

La tendance à la procrastination est une attitude bien normale et humaine. Par contre, si vous ne luttez pas contre celle-ci, vos journées pourraient être très improductives.

La meilleure méthode pour éviter la procrastination

Il existe bien des façons de lutter contre la procrastination. La plus classique est sans doute de toujours commencer par ce que vous aimez le moins ou par les tâches les plus ardues. Je vous donnerai quelques trucs dans les conseils à la fin du chapitre.

Pour moi, cependant, le meilleur truc est la méthode *c'est ça ou rien...* Revenons d'abord à deux aspects de la procrastination :

1. Procrastiner, c'est remettre à plus tard *tout en faisant autre chose* ;
2. La procrastination est souvent la résultante d'une *émotion négative liée à la tâche qu'il faudrait exécuter*.

Dans les faits, une émotion ne dure qu'environ **cinq secondes**. Lorsque vous êtes devant une tâche qui vous rebute, ne commencez rien d'autre et **attendez**. Vous verrez qu'il est bien difficile de rester longtemps assis à son bureau ou devant son écran d'ordinateur en ne faisant rien !

C'est la méthode *c'est ça ou rien...* Un vrai *RIEN* toutefois ! Ne lisez même pas le document qui est sur le coin de votre bureau, n'allez pas consulter un collègue pour un quelconque dossier, etc.

> UN PETIT EFFORT DE VOLONTÉ POUSSE
> VERS L'ACTION QUI GÉNÈRE LA MOTIVATION.

Volonté → Action → Motivation

Je dois dire que j'ai recours à ce truc fort simple plusieurs fois dans la journée. Essayez-le et vous verrez que votre liste de tâches fondra comme neige au soleil. Mais surtout, n'oubliez pas vos pauses !

La recherche du plaisir

Pourquoi devrions-nous faire ce qui nous déplaît *avant* ce qui nous plaît ? Pourquoi choisir ce qui prend beaucoup de temps *avant* ce qui se fait rapidement ? Pourquoi faire ce qui est difficile *avant* ce qui est facile ? Pourquoi faire ce que nous ne connaissons pas *avant* de faire ce que nous connaissons bien ? Pourquoi opter pour des choix difficiles, alors qu'il serait plaisant, normal même, de procéder autrement ? Le contraire ne convient-il pas mieux à notre nature profonde ?

La solution à ce dilemme n'est certes pas du côté de la discipline. Je ne pense pas que nous devrions nous donner comme objectif principal de devenir disciplinés. Il faut plutôt faire ressortir la notion de plaisir dans tout ce que nous accomplissons. Pourquoi nous donner un espace de travail dégagé, harmonieux, si ce n'est pour nous sentir mieux ?

Il en va de même pour la planification. Pour moi, les journées que je n'ai pas entamées avec un bon plan sont nettement moins agréables. Par contre, je ressens de la satisfaction en fin d'après-midi quand je regarde mon plan et que je vois tout ce que j'ai pu accomplir durant la journée.

Ce n'est pas par discipline que je m'attaque à un travail long, mais dans l'optique de le voir avancer, puis de l'achever dans les délais prescrits. C'est à la fois un soulagement et une source de satisfaction personnelle. Bien sûr, il faut vouloir. C'est pour cela que mon équation comporte ces trois mots : Volonté, Action, Motivation.

Pour combattre cette tendance naturelle de remettre à demain, il faut changer vos habitudes. Je suis certain que la méthode ***c'est ça ou rien...*** vous permettra d'y parvenir plus facilement. On dit qu'il faut 21 jours de pratique pour qu'une nouvelle façon d'agir devienne une habitude. Par la suite, vous n'aurez plus besoin d'utiliser votre volonté. Ce que vous aurez répété deviendra un automatisme. Et c'est là que vous commencerez à agir simplement en raison du «plaisir» que cette nouvelle habitude vous procurera. La discipline n'y sera pour rien.

***

Voici quelques conseils pour diminuer la procrastination.

- ✓ Évitez les distractions et les sources de stimuli en ayant un bureau rangé.
- ✓ Cessez de croire que le multitâche est plus efficace que de toujours terminer l'action en cours.
- ✓ Commencez vos journées par les tâches qui *rapportent* le plus et ne faites rien d'autre tant que vous ne les aurez pas terminées.
- ✓ Cessez de croire que vous êtes plus efficace lorsque vous vous y prenez au dernier moment. Une telle approche est souvent la cause de bien des erreurs qu'il faut réparer plus tard, ce qui entraîne des pertes de temps.
- ✓ Découpez vos tâches longues en séquences que vous êtes certain de pouvoir maîtriser et exécuter jusqu'au bout.
- ✓ Utilisez une minuterie à l'occasion: la course contre la montre vous empêchera d'entreprendre autre chose.
- ✓ Récompensez-vous quand vous avez terminé une tâche ou un bloc de tâches. Prenez vos pauses et alternez avec des tâches plus agréables.
- ✓ Ne pensez pas négativement. La procrastination se nourrit de la culpabilité: soyez plutôt orienté vers le futur.
- ✓ Utilisez la méthode ***c'est ça ou rien...***

27

Les grugeurs de temps

Ne laissez pas hier prendre trop d'aujourd'hui.

Proverbe cherokee

Quelles sont vos maladies du temps ?

On aborde souvent la gestion du temps sous l'angle des grugeurs de temps. Mais d'abord, qu'est-ce qu'un grugeur de temps ?

On peut en donner une définition simple en se référant au mot chronophage. Ce mot est un adjectif qui décrit ce qui consomme du temps inutilement ou qui fait perdre du temps.

Même si l'expression « grugeurs de temps » évoque des choses qui seraient extérieures à nous, que nous subirions, elles peuvent aussi être internes et provoquées par nous-mêmes. Beaucoup des grugeurs de temps s'appuient sur nos attitudes, nos croyances et nos mécanismes personnels. C'est le cas, par exemple, d'une trop grande tendance au perfectionnisme, de la résistance au changement, de l'excitation qu'apporte l'action et qui pousse à tout entreprendre à la dernière minute, etc. En nous interrogeant davantage sur nos principaux grugeurs de temps, nous pouvons pourtant réaliser que nous avons plus de pouvoir pour améliorer la situation que nous ne le croyions à première vue. Il s'agit d'y croire et de désirer réellement les maîtriser. Au fond, qui a du temps à perdre et qui vous paierait pour en perdre ?

Pour commencer, pourriez-vous identifier les vôtres ? Si, bien sûr, vous en avez...

Voici la liste des grugeurs de temps généralement identifiés. Commencez par déceler vos cinq à dix principaux grugeurs de temps, ceux qui vous apporteraient les plus grands bénéfices si vous amélioriez la situation. Mes plus gros grugeurs de temps sont :

- ❑ L'excitation que procure l'action ;
- ❑ Un individu ou un groupe d'individus en particulier (identifiez-le et nommez-le) ;
- ❑ Le manque de motivation ;
- ❑ L'habitude – m'y prendre toujours de la même façon en ne remettant rien en question ;
- ❑ Le perfectionnisme ;
- ❑ La difficulté à évaluer le temps requis pour exécuter une tâche ;
- ❑ Le téléphone ;
- ❑ Les courriels ;
- ❑ La nouveauté et les imprévus ;
- ❑ Des outils inadéquats ou défectueux ;
- ❑ L'habitude de tout accepter, l'incapacité à dire non ;
- ❑ La recherche ;
- ❑ Des activités ou des tâches sans valeur ajoutée (identifiez-les) ;
- ❑ Le manque d'organisation ;
- ❑ L'absence d'objectifs précis et motivants ;
- ❑ L'ignorance de mon emploi du temps ;
- ❑ Le manque de discipline ;
- ❑ L'habitude de remettre à plus tard ;
- ❑ La dispersion (je commence une chose, puis une autre...) ;
- ❑ Les interruptions internes ;
- ❑ Les problèmes et les urgences ;
- ❑ L'abondance d'informations ;
- ❑ Les réunions mal gérées ;
- ❑ L'habitude de tout faire moi-même ;

- ❑ La difficulté à bien déléguer ;
- ❑ La navigation sur Internet ;
- ❑ Le manque de planification ;
- ❑ Le manque d'engagement ;
- ❑ Autre.

Avez-vous eu de la difficulté à choisir ?

Si je devais identifier les cinq grugeurs de temps qui ont l'impact le plus négatif au sein des organisations, je dirais que ce sont : les télécommunications (courriels ou téléphones), les interruptions entre collègues, l'incapacité à dire non (à négocier), l'incapacité à bien gérer la nouveauté et l'absence de plan de travail (le manque de planification).

C'est pourquoi j'ai accordé un chapitre entier à chacun d'eux en les abordant sous l'angle de compétences ou d'habiletés à développer concrètement.

Il existe une autre facette à la question des grugeurs de temps. Est-il possible d'améliorer la situation, ou bien ces grugeurs de temps nous sont-ils vraiment imposés par des causes externes sur lesquelles nous n'avons aucun pouvoir ? D'après moi, il est extrêmement rare que rien ne puisse être fait.

Supposons qu'un individu est l'un des grugeurs de temps que vous avez identifiés. Disons que votre patron ou votre patronne est une source incessante d'interruptions. Avez-vous tenté d'aborder la question avec cette personne ? Si oui, l'avez-vous fait de façon constructive en évitant les blâmes inutiles et en soulignant les avantages qu'elle retirerait en faisant autrement ? Avez-vous proposé des solutions ? La majorité des individus adhéreront facilement à une nouvelle façon d'agir s'ils en retirent des gains.

Subir ou agir ?

Pour la suite de l'exercice, je vous propose de revenir à vos principaux grugeurs de temps et d'évaluer le plus objectivement possible si vous pouvez améliorer la situation.

Pour ce faire, dressez la liste de vos grugeurs de temps. Évaluez ensuite, sur une échelle de 1 à 10, à quel point vous pourriez améliorer la situation dans chaque cas. Attribuez 1 si vous ne pouvez rien y changer et 10 si vous pouvez réellement améliorer la situation. Vous pourriez utiliser un tableau qui ressemble à celui-ci :

Les courriels

1 2 3 4 5 6 ● 8 9 10

Les interruptions entre collègues

1 2 3 ● 5 6 7 8 9 10

L'excitation que procure l'action

1 2 3 4 5 6 7 ● 9 10

Etc.

1 2 3 4 5 6 7 8 9 10

Le but de cet exercice est de vous confronter à vous-même. Est-ce que vous ne pouvez vraiment rien changer ? Vous verrez aussi où il est inutile d'investir de l'énergie pour tenter de changer ce qui ne peut l'être, par exemple tout ce qui aurait reçu une cote de 3 ou moins. Car, tel que le dit le proverbe tibétain :

> SI LE PROBLÈME A UNE SOLUTION, IL NE SERT
> À RIEN DE S'INQUIÉTER. MAIS S'IL N'EN A PAS,
> ALORS S'INQUIÉTER NE CHANGE RIEN.

Il ne reste qu'à vous demander comment vous allez vous y prendre puisque vous êtes évidemment la meilleure personne pour trouver les solutions.

***

Voici quelques conseils pour combattre les grugeurs de temps.

- ✓ Identifiez vos principaux grugeurs de temps.
- ✓ Identifiez ceux sur lesquels vous pouvez agir.
- ✓ Identifiez les activités sans valeur ajoutée auxquelles vous vous consacrez et essayez de les éliminer ou d'en diminuer l'impact en améliorant votre façon de faire.
- ✓ Prenez l'habitude de remettre en question vos façons de faire.
- ✓ Si vous avez identifié que un ou des individus sont des grugeurs de votre temps, préparez-vous adéquatement et allez discuter de façon constructive de ce qui pourrait améliorer la situation. Votre négociation sera facilitée si vous gardez toujours en tête l'intérêt de l'autre personne.
- ✓ Fixez-vous des objectifs et servez-vous-en comme source de motivation.
- ✓ Si vous avez identifié l'excitation que procure l'action, prenez l'habitude de planifier vos tâches longues en les séquençant et en leur attribuant une date de début (voir le chapitre 10, *Comment gérer vos tâches longues et vos projets*). Surtout, vous devez vous convaincre que commencer à la dernière minute n'est pas efficace. Pour citer l'auteur et consultant en amélioration Daniel Latrobe: « Le temps gagné dans la précipitation est rapidement consommé dans la correction des erreurs engendrées. »
- ✓ Si vous avez identifié le perfectionnisme, prenez l'habitude d'établir un temps d'exécution pour vos tâches et entraînez-vous à le respecter. Une recherche sur Internet vous indiquera des dizaines de trucs et d'astuces qui vous aideront à lutter contre le perfectionnisme.
- ✓ Si vous avez identifié les interruptions, les télécommunications, les courriels, la difficulté à gérer la nouveauté, l'incapacité à dire « non », l'habitude de remettre des tâches à plus tard, la difficulté à bien déléguer, la dispersion ou le manque de planification, référez-vous aux chapitres où ces points sont traités en détail, puis établissez votre plan de match.

- ✓ Si vous avez identifié la recherche et le manque d'organisation, convainquez-vous que le temps investi pour être mieux organisé est une activité à très haute valeur ajoutée et référez-vous au chapitre qui y est consacré.
- ✓ **Et surtout, concentrez-vous sur ce que vous pouvez changer et apprenez à lâcher prise pour le reste.**

Troisième partie

Prioriser, ou comment faire les *bonnes* choses

28

Établir vos priorités

Il ne suffit pas d'être occupé...
L'important, c'est ce qui nous occupe.

Henry David Thoreau

Savoir prioriser

Ce que nous avons vu jusqu'à maintenant se résumerait à « bien faire les choses » : les bonnes méthodes, avec les bons outils bien maîtrisés, dans un environnement organisé.

Je veux maintenant passer à ce que j'estime être l'âme de la gestion du temps, c'est-à-dire savoir prioriser ou *faire la bonne chose*.

Imaginons que vous commenciez votre journée avec 22 tâches sur votre plan de travail quotidien. La journée progresse et tout va assez bien. Puis arrive la fin de la journée, et vous constatez que vous avez exécuté 20 de vos 22 tâches. *Êtes-vous satisfait de votre journée de travail ?*

Vous avez très probablement répondu à cette question : *Ça dépend des deux qui restent*. Et vous avez raison !

Je vous demande maintenant : *Pensez-vous que ce sont les tâches* ***urgentes, importantes*** *ou* ***prioritaires*** *qui* ***ne devraient pas*** *rester ?*

À cette question-là, certains répondront qu'il ne devrait pas rester de tâches urgentes, d'autres qu'il ne devrait pas rester de tâches prioritaires et une minorité répondra qu'il ne doit pas rester de tâches importantes.

Une chose est certaine : *urgent, important* et *prioritaire* ne sont pas des synonymes. Mais comment s'y retrouver ?

Urgent, important et prioritaire sont les trois critères qui servent généralement à choisir les tâches à exécuter. Mais qu'est-ce qui rend une tâche urgente ? Peut-elle être à la fois urgente et importante ? Pourrait-elle être seulement urgente ? Ou même seulement prioritaire ?

Clairement, il importe de bien définir ces mots, ou ces concepts, afin de bien aborder le thème de la priorisation. Je vais donc définir ces trois concepts, mais uniquement du point de vue de la gestion du temps. Il est important de le préciser, car le sens que je m'apprête à donner au mot urgent ne correspond pas exactement aux définitions écrites dans les dictionnaires.

En gestion du temps, seul compte dans le mot urgent son rapport au délai, le temps qu'il reste pour exécuter une tâche. Dans son sens habituel, le mot urgent réfère à tout ce qui est pressant, mais le caractère pressant d'une action est subjectif et provient souvent d'un impératif extérieur. Dans le contexte de la gestion du temps, il ne faut pas associer à urgent la notion de conséquence. La conséquence, elle, appartient au domaine de l'importance.

Par exemple, courir pour attraper le bus qui est immobilisé au feu rouge à 100 mètres est une action urgente. Cependant, comme un autobus passe toutes les 10 minutes et que vous êtes en avance, il n'y a rien d'important à prendre ce bus-là en particulier. Dans ce cas-là, attraper ce bus est une action urgente, mais non importante.

Si, au contraire, la fréquence de passage du bus est beaucoup moins élevée et que vous allez à une entrevue d'embauche qui ne peut souffrir aucun retard, attraper ce bus-là devient alors une action urgente et importante.

La notion d'importance renvoie à la conséquence d'avoir fait ou ne pas avoir fait la tâche. L'importance réfère aussi à la valeur ajoutée, l'aspect bénéfique que l'activité peut rapporter. L'importance est donc la valeur de la tâche, sa conséquence, sa rentabilité ou sa valeur ajoutée.

Il est essentiel, pour choisir et prioriser efficacement, d'évaluer séparément les aspects *urgent* et *important*. C'est en combinant ensuite ces deux dimensions, le délai (*urgent*) et la valeur (*important*), qu'il sera possible de prioriser les actions. En effet, la *priorité* résulte d'un choix, c'est-à-dire de la décision prise en fonction de l'évaluation faite de ces deux dimensions.

Récapitulons !

La notion d'**urgence** renvoie uniquement à l'idée d'échéance ou de délai. Plus l'échéance approche, plus la tâche devient urgente : si elle n'est pas effectuée, il sera éventuellement trop tard. Y aura-t-il des conséquences ? Ça, c'est une autre histoire ! Urgence implique ici uniquement une notion de temps.

La notion d'**importance** implique, elle, l'idée de conséquence ou de valeur ajoutée. L'important, c'est ce qui peut avoir des effets sur la sécurité physique ou morale à court ou à long terme ou ce qui peut rapporter, ce qui est relié directement aux objectifs personnels, à l'emploi, à la mission de l'entreprise et à la raison d'être d'une personne dans cette entreprise.

La notion de **priorité** implique l'idée d'ordonnance. Prioriser, c'est répondre à la question : *Qu'est-ce qui passe en premier ?* Cet ordonnancement résulte d'une décision qui ne peut être bien prise qu'en tenant compte de deux éléments : le degré d'urgence et le niveau d'importance d'une tâche. Le premier vient généralement de l'extérieur, il est relié à un délai, à une date butoir. Le second est intrinsèque, il est relié à la valeur de la tâche elle-même.

La grille d'Eisenhower

Cette distinction entre urgent et important m'amène à parler de la grille d'Eisenhower. Cette grille des deux critères croisés, URGENCE et IMPORTANCE, est classique en gestion du temps. C'est un excellent outil de réflexion qui facilite les choix.

	URGENT	PEU URGENT
IMPORTANT	**A** *À haut rendement, raison d'être de votre fonction ou avec conséquences, À effectuer immédiatement ou rapidement, souvent le résultat d'un manque de planification.*	**B** *À haut rendement, raison d'être de votre fonction* ***ou*** *activités liées à la croissance de l'entreprise, action planifiée, préventive.*
PEU IMPORTANT	**C** *Importance moindre* ***ou*** *activités quotidiennes peu maîtrisées (délais à négocier).*	**D** *Activités à bas rendement* ***ou*** *activités quotidiennes bien maîtrisées.*

Comment bien interpréter la grille d'Eisenhower

La grille d'Eisenhower doit d'abord et avant tout être vue comme un outil de réflexion. Elle sert à choisir et à mieux prioriser. Il faut évaluer une tâche en fonction de sa valeur pour l'entreprise. Il faut aussi déterminer si la tâche est exécutée par la bonne personne. Par exemple, faire le suivi des comptes clients est une activité importante et à valeur ajoutée pour une entreprise. Par contre, ce serait peut-être, pour le dirigeant de l'entreprise qui s'en chargerait, un très mauvais usage de son temps.

Voici donc quelques exemples des différents types de tâches et d'activités selon les critères de la grille.

Les tâches de type A

Les tâches de type **A** sont les activités à haut rendement ou à hautes conséquences, qui arrivent à échéance. À mon avis, il faudrait consacrer un maximum de 20 % du temps à des activités de type **A**.

Des exemples d'activités de type **A** seraient la remise d'une offre de service ou d'un rapport, la gestion de certaines urgences ou actions à hautes conséquences ou la participation à une rencontre (ce type d'activité peut aussi être un **C**).

Les activités de type **A** peuvent être des activités à haute valeur ajoutée qu'il aurait mieux valu traiter en **B**, donc à l'avance, pour mieux les maîtriser. Une offre complétée longtemps à l'avance, par exemple, sera mieux réalisée et les chances d'obtenir le contrat seront plus grandes.

Une personne qui passe une trop grande partie de son temps à exécuter des activités de type **A** souffre généralement d'un manque de préparation et de planification. Les activités de type **A** engendrent souvent des erreurs et des reprises fréquentes.

Les tâches de type B

Idéalement, il faudrait exécuter le plus d'activités de type **B** possible, car ce sont celles qui apportent les meilleurs résultats. Ce sont des activités reliées à la poursuite des objectifs et à la croissance de l'entreprise ou aux activités importantes énumérées dans la description de tâches. Ce sont celles qui sont planifiées longtemps à l'avance : commencer un travail longtemps avant l'échéance, faire de la prévention, déléguer, organiser, créer, innover, réfléchir, découvrir des occasions favorables, développer des procédures, améliorer le produit ou le service, se perfectionner, refaire le classement, établir un bon climat de travail. En résumé, il s'agit de toute tâche qui fait partie de la description de tâches de quelqu'un et de sa *raison d'être dans l'entreprise*.

Les tâches de type C

Les tâches de type **C** sont des activités qui ont un impact moindre même si elles sont nécessaires à la poursuite des activités. Toutefois, après avoir pris conscience qu'elles sont de moindre importance, il serait logique de cesser de les traiter dès leur réception. C'est le cas, par exemple, de la majorité des courriels reçus (j'ai décrit plus haut l'effet très négatif sur la productivité de les traiter sur-le-champ). Une personne qui consacre beaucoup de temps aux activités de type **C** devrait sans doute améliorer sa façon de traiter les demandes qui lui sont adressées. Les activités de type **C** sont donc celles qu'il faut organiser et structurer afin qu'elles prennent le moins de place possible dans l'emploi du temps. Ce sont celles aussi pour lesquelles il est important de négocier les échéances.

À défaut de bien les gérer, ces activités tendront à enfler jusqu'à prendre le double du temps qu'elles devraient ! Il est facile de trouver plusieurs exemples d'activités de type **C** : éteindre des feux sans grandes conséquences, subir le manque de préparation des autres (demandes de dernière minute), répondre à une interruption d'un collègue, travailler sans objectif, répondre immédiatement aux télécommunications sous toutes leurs formes, assister à des réunions de dernière minute souvent peu constructives et *les urgences des autres*.

Les tâches de type D

Les activités **D** sont soit celles qui sont à moins haut rendement et qu'il faut mieux organiser et maîtriser, soit celles pour lesquelles il faut optimiser le processus, ou encore celles qui devraient être carrément éliminées.

Par exemple, reclasser les dossiers actifs afin d'éliminer les recherches inutiles est une activité **B** alors que la révision du classement des dossiers archivés pourrait être vue comme une activité de type **D.** En examinant la liste de tâches à accomplir, il est possible d'en repérer certaines qui ne devraient carrément pas être exécutées, sans doute des activités **D**.

Toutefois, le fait qu'une tâche soit de type **D** ne signifie pas qu'elle doive être éliminée, malgré ce que certains auteurs proposent. Qu'arrive-t-il à toutes ces activités quotidiennes qui, sans être d'une importance capitale, doivent tout de même être accomplies ? Les petites demandes d'information des clients seraient un bon exemple.

Considérez plusieurs des exemples de tâches de type **C** que j'ai énumérées ci-dessus, les télécommunications, les communications internes, les demandes de dernière minute, etc. Elles deviendront des activités de type **D** si vous les gérez et maîtrisez bien et si vous en contrôlez les échéances. Le fait de contrôler les délais d'exécution et de ne pas céder aux impératifs de temps des demandeurs vous permet de les regrouper et de terminer l'action que vous avez en cours. J'ai bien décrit dans les chapitres précédents tous les gains de productivité que cette approche procurera.

Exercice

Je vous invite maintenant à faire l'exercice suivant. En vous référant à la grille d'Eisenhower et au texte qui précède, indiquez si ces tâches sont de type **A**, **B**, **C** ou **D** (les réponses suggérées sont à la suite).

1	Commencer à préparer un dossier d'appel d'offres public avant la date de remise qui est dans un mois.	
2	Compléter le dossier d'appel d'offres qui doit être remis demain avant 15 h.	
3	Faire l'inventaire des articles de bureau afin de préparer la commande du mois.	
4 – Supposons que vous êtes comptable :		
4 a)	Nous sommes mardi. Entrer les données prévues dans votre cycle comptable (ex. : mardi, tous les fournisseurs) afin d'être à jour.	
4 b)	Nous sommes mercredi après-midi, le système informatique qui était en panne vient d'être rétabli. Préparer la paye de jeudi, le lendemain.	
4 c)	Continuer à mettre au point les outils comptables qui permettront de calculer le coût de revient des produits manufacturés.	
4 d)	Nous sommes le deuxième mardi du mois et il est 11 h 30. Vous aviez produit les rapports de comptes de dépenses la veille (date à laquelle vous devez le faire). L'un de vos patrons (et ça lui arrive souvent) avait négligé de vous remettre son formulaire à temps. Il entre dans votre bureau, vous remet son formulaire et vous demande de préparer son remboursement d'ici 12 h, car il sera parti en après-midi. Préparer le remboursement de dépenses.	
5 – Vous êtes adjointe administrative dans un Centre jeunesse :		
5 a)	Saisir à l'ordinateur le texte d'un plan d'intervention que vous a remis un consultant et qui doit être terminé *dans cinq jours*.	
5 b)	Saisir à l'ordinateur le texte d'un plan d'intervention que vous a remis un consultant et qui doit être terminé *aujourd'hui* (parce qu'un tiers a mal planifié le projet).	
5 c)	Écrire à la DPJ pour donner suite à la plainte d'un parent qui attendait l'appel d'un intervenant et qui ne l'a pas reçu.	
6	Effectuer des suivis auprès des fournisseurs ou des collaborateurs afin de vous assurer qu'ils respecteront leurs échéanciers.	
7	Lire un article directement lié à votre travail qui est paru dans le plus récent numéro d'un magazine professionnel.	
8	Mettre au point votre plan quotidien.	
9	Relire vos notes de la journée et transcrire, dans votre agenda, les tâches à faire aux dates prévues.	
10	Assurer un suivi des comptes clients de l'entreprise.	
11	Déguster le café du matin.	

Solutionnaire

1	**B**	La préparation d'une offre de service est une activité stratégique et essentielle pour l'organisation. Un mois à l'avance, elle n'est pas urgente.
2	**A**	La préparation d'une offre de service est une activité stratégique et essentielle pour l'organisation. Le jour même, le délai est très rapproché et il s'agit d'une urgence. Espérons qu'il ne subsiste que quelques petites formalités !
3	**B**	Les activités préventives sont généralement des tâches à valeur ajoutée qui évitent de basculer éventuellement dans l'urgence.
4 a)	**B**	C'est une activité maîtrisée qui fait partie des tâches liées à votre raison d'être dans l'entreprise et qui est importante pour celle-ci.
4 b)	**A**	N'a pas réellement besoin d'être commenté. Délai court et tâche très importante.
4 c)	**B**	Calculer le coût de revient constitue une activité hautement stratégique pour les entreprises. Ce type d'activité est rarement soumis à un délai.
4 d)	**C**	Émettre un chèque pour rembourser une note de frais n'a aucune valeur ajoutée pour une entreprise. Si vous avez répondu **A,** vous êtes tombé dans le piège de la hiérarchie. D'ailleurs, le patron ou la patronne n'avait peut-être pas réellement réfléchi avant de vous imposer ce délai. C'est le type de demande qu'il faut tenter de négocier. (Si vous lui aviez proposé, par exemple, d'émettre son chèque en même temps que d'autres paiements que vous effectuerez le lendemain, il ou elle aurait sans doute accepté. Ce sera plus facile si vous dites à votre patron que vous tentez de terminer la mise à jour des outils de coût de revient – dire *oui* à quelque chose, c'est toujours dire *non* à autre chose).
5 a)	**B**	Activité maîtrisée qui fait partie de votre raison d'être au sein de l'organisation.
5 b)	**A**	Activité urgente et importante causée cependant par le manque d'organisation, de planification ou la négligence de quelqu'un d'autre.
5 c)	**A**	Activité urgente et importante causée cependant par le manque d'organisation, de planification ou la négligence de quelqu'un d'autre. Vous devriez sans doute apprendre à être moins flexible, car vous risquez de perdre le contrôle de vos propres activités.
6	**B**	La gestion des suivis est une activité préventive et de contrôle qui n'est pas soumise à des délais.
7	**B**	Vous maintenir à jour par rapport à votre profession ou à votre domaine d'activité est une activité importante et trop souvent négligée.
8	**B**	C'est une activité hautement stratégique qui vous évitera de tomber dans l'urgence tout au long de la journée.
9	**B**	C'est une activité importante et stratégique qui requiert rigueur et régularité malgré son aspect routinier.
10	**B ou D**	C'est une activité importante pour l'organisation. Elle est de type **B** ou **D** selon la personne qui l'effectue.
11	Ni A ni B. C'est la priorité de la journée puisque c'est la première activité...	

Pour optimiser votre emploi du temps

Si j'avais le temps, je...

Au début d'une formation en gestion du temps, je propose un exercice fort simple aux participants. L'exercice s'intitule *Si j'avais le temps, je...* « Imaginez que vous disposiez au travail, dorénavant et à tous les jours, d'une heure ou deux que vous pouvez utiliser strictement comme vous le voulez. Il n'y aura jamais d'urgences ou d'imprévus durant cette période et personne ne tentera de vous contacter non plus. Que feriez-vous de ce temps ? Pourriez-vous dresser la liste de ce que vous feriez ? » J'invite également les participants à être aussi précis que possible.

Évidemment, ils ont tous tendance à inscrire sur cette liste des activités à valeur ajoutée. Par exemple, refaire le classement, coacher davantage les membres de mon équipe, avancer tel projet d'amélioration, mieux préparer mes rencontres, effectuer davantage de suivis, faire des postmortem de mes projets, améliorer tel processus, lire davantage, suivre une formation, former mon équipe, etc.

Une fois l'exercice terminé, je leur demande quelles sont leurs premières réflexions. Peuvent-ils tirer certaines conclusions ? Le constat qui revient sans cesse est qu'ils sont toujours dans l'urgence, mais qu'ils gagneraient du temps s'ils exécutaient ces tâches à valeur ajoutée. Bien sûr, ce sont de bonnes constatations, mais je leur demande ensuite s'ils ont l'habitude de planifier ces tâches ou ces projets en les inscrivant dans leur unique outil de gestion du temps. Évidemment, très peu le font.

À la toute fin du cours, après avoir discuté des notions de priorité, je demande aux gens de revenir à l'exercice du début de la journée et de classer les activités qu'ils avaient identifiées selon les critères de la grille d'Eisenhower. Bien sûr, toutes les tâches sont des **B.** Qui voudrait ou rêverait de faire des tâches sans importance ?

Alors, pourquoi être toujours dans l'urgence ? L'explication vient de notre perception du temps comme étant linéaire et non renouvelable. Pour cette raison, il existe une forte tendance inconsciente de toujours prioriser en fonction des délais. « Il faut le faire tout de suite, sinon il sera trop tard... » Il faut tenter de vous détacher de cette impression afin de prioriser ce qui est important, ce qui a de la valeur. Donc, plutôt que de dire « Si j'avais le temps, je... », dites plutôt « *Mes priorités sont...* »

Voici, si je peux m'exprimer ainsi, la dernière partie de ma recette en gestion du temps. Le matin, à moins d'une « urgence nationale », je commence toujours par mes tâches **B**. Si je parviens à y consacrer quelques heures dans la journée, disons à peu près trois heures, ma journée sera assurément réussie. Pourquoi ? Parce que mes priorités sont les activités ou les tâches à haut rendement.

On peut évaluer l'habileté des gens à gérer leur temps en mesurant quelle proportion de leurs tâches se trouve en B ou en C. Un directeur des ventes, par exemple, devrait investir au moins 40 % de son temps dans des tâches de type B. Quelque chose ne va pas s'il consacre la majorité de son temps à des tâches de type C, comme régler des problèmes, éteindre des feux ou aider les membres de son équipe qui ne peuvent se passer de lui. Il serait certainement plus efficace pour son entreprise s'il accomplissait plus d'actions de type B, comme préparer de bonnes réunions de vente, analyser les statistiques, développer de nouveaux marchés, sonder la concurrence, etc.

Il faut absolument considérer la valeur des tâches que vous décidez d'accomplir si vous voulez que vos journées soient vraiment productives.

BIEN FAIRE LES CHOSES,
MAIS SURTOUT FAIRE LES BONNES CHOSES.

***

Voici quelques conseils pour bien établir vos priorités.

✓ Prenez l'habitude de réfléchir à la valeur de vos tâches ou de vos activités en lien avec l'organisation pour laquelle vous travaillez.

✓ Réfléchissez aussi à votre rôle dans l'organisation. Est-ce que vous êtes la personne indiquée pour exécuter cette tâche ?

✓ Consultez votre entourage, vos collègues ou la direction afin de déterminer quelles activités devraient être priorisées dans l'organisation.

✓ Prenez l'habitude de négocier les délais si la tâche demandée est de moindre valeur.

✓ Apprenez à dédramatiser le mot *urgent*. Ce n'est pas parce que c'est urgent que c'est nécessairement important !

✓ Quand vous établissez vos choix, privilégiez toujours les activités à forte valeur ajoutée.

✓ **Sur votre plan quotidien, efforcez-vous d'inscrire quelques tâches à haut rendement.**

✓ Planifiez vos projets d'amélioration au même titre que tous les autres projets.

✓ **Durant la journée, évitez de vous précipiter dans l'action**. Prenez le temps de vérifier si la tâche qui se présente, et pour laquelle vous vous apprêtez à tout laisser tomber, est à la fois importante et urgente ou seulement urgente.

29

Planifiez le long, le moyen et le court terme

Il n'est pas de vent favorable
pour celui qui ne sait où il va.

Sénèque

Il faut voir la planification comme allant du long terme au court terme.

L'être humain est doté de la faculté d'imaginer l'avenir. On peut donc voir la planification comme la mise en place des moyens qui nous permettront d'atteindre nos objectifs futurs. On parle donc ici de planification à long terme. La planification à court et à moyen termes, c'est l'établissement de tous les mécanismes de contrôle et de révision qui nous permettront d'atteindre les grands objectifs que nous nous sommes fixés. La planification du court terme permet notamment de garder le cap au quotidien.

Le long terme, c'est le sens qu'on donne au temps.
Le court et le moyen terme, c'est la maîtrise du temps.

La planification est une activité en soi. Il s'agit d'une activité à très haute valeur ajoutée, car en planifiant notre temps, nous nous donnons une vision claire de ce que nous ferons. C'est le fer de lance de la gestion du temps.

La planification est l'organisation dans le temps de la réalisation d'objectifs :

- dans un domaine précis ;
- avec différents moyens mis en œuvre ;
- et sur une durée (et des étapes) précise(s).

La planification du long terme

Le besoin de planifier le long terme peut varier d'un individu à l'autre, selon le poste qu'il occupe et en fonction de ses objectifs personnels.

Exemples de planification à long terme :

1. Planification stratégique quinquennale de l'entreprise ;
2. Planification stratégique annuelle de l'entreprise ;
3. Planification d'un projet spécifique ;
4. Planification personnelle de développement ;
5. Planification d'un projet lié à un objectif personnel, professionnel ou d'entreprise.

Le temps requis pour planifier le long terme varie selon les situations. La planification stratégique peut toucher plusieurs volets de l'organisation, comporter la mise en place d'outils de mesure, etc. Elle prendra plus ou moins de temps selon la complexité du projet, le nombre de personnes qui participent, etc.

Il est primordial qu'un objectif, qu'il soit personnel, professionnel ou d'entreprise, soit soutenu par un projet.

La planification du moyen terme

Toute forme de planification suppose de rajuster notre tir à l'occasion, de réviser nos objectifs et les activités qui y sont reliées. La planification du moyen terme peut servir à deux choses :

- réviser la planification du long terme ;
- réviser et rééquilibrer les activités de la semaine ou du mois à venir.

Si la planification du long terme ne relève pas de vous, le deuxième segment vous concerne, car vous devrez nécessairement réviser et rééquilibrer les activités que vous avez planifiées pour les jours et les semaines à venir. Nous devons tous planifier le moyen terme.

Les révisions nécessaires pour la planification à moyen terme vous servent à répondre à certaines questions :

1. Est-ce que mes tâches sont bien équilibrées par rapport à mes plages de rendez-vous ?
2. Est-ce que je devrais déplacer certaines tâches pour mieux regrouper mes tâches de même nature ?
3. Est-ce que j'ai inscrit dans ma planification un nombre suffisant de tâches à haut rendement ?
4. Est-ce que j'ai tenu compte, dans ma planification, de certaines tâches qui font partie de ma planification stratégique ?
5. Etc.

La planification du moyen terme peut porter sur la semaine, le mois, le trimestre ou le semestre à venir.

LA PLANIFICATION DU MOYEN TERME EST UNE TÂCHE IMPORTANTE QUI DOIT ÊTRE PLANIFIÉE ET INSCRITE À L'AGENDA.

La planification quotidienne

La planification quotidienne consiste à gérer et à maîtriser l'ensemble des tâches reliées à nos fonctions au sein de l'organisation et à l'atteinte de nos objectifs à long terme. J'aime bien comparer la gestion du temps à la navigation. En tant que capitaine, on prévoit un itinéraire, mais on doit tenir compte des courants, de la vélocité des vents et faire le point régulièrement.

De la même façon, nous devons sans cesse négocier notre emploi du temps en regard du plan quotidien que nous avons établi et ne jamais le tenir pour acquis, ne jamais le croire définitif. Il ne faut pas s'entêter à le suivre au pied de la lettre comme s'il s'agissait d'un voyage en train sur des rails immuables.

Notre plan quotidien établit des balises qui nous aident à naviguer et à tenir le cap tout au long de la journée. Vous devriez aussi utiliser votre plan quotidien pour constamment vous confronter à vous-même. Demandez-vous à intervalles réguliers durant la journée : « Est-ce que je fais la bonne tâche ? » Si vous êtes en train d'exécuter une tâche non planifiée ou non prévue, demandez-vous : « Est-ce que j'ai fait le bon choix ? »

Si le processus de gestion du temps est bien maîtrisé, la planification quotidienne ne devrait pas vous prendre plus de 10 à 15 minutes et devrait, si possible, être faite la veille.

Le matin, avant de commencer votre journée, prenez quelques instants pour visualiser votre journée et vous en imprégner. Cette dernière étape est importante, car elle va guider votre esprit tout au long de la journée afin de bien choisir et de mieux négocier.

D'APRÈS LES RECHERCHES DE L'*INSTITUTE FOR BUSINESS TECHNOLOGY*, IL NE FAUDRAIT PAS CONSACRER PLUS DE 25 % À 50 % DU TEMPS DE TRAVAIL À LA GESTION DES IMPRÉVUS.

SANS UN PLAN, LES IMPRÉVUS PEUVENT REPRÉSENTER JUSQU'À 80 % ET MÊME 90 % *D'UNE* JOURNÉE DE TRAVAIL !

Temps à investir en planification

On me demande parfois combien de temps il faut consacrer à la planification. Disons qu'il faut toujours moins de temps pour planifier qu'il en faut pour réparer les erreurs causées par un manque de planification ! Voici néanmoins quelques chiffres :

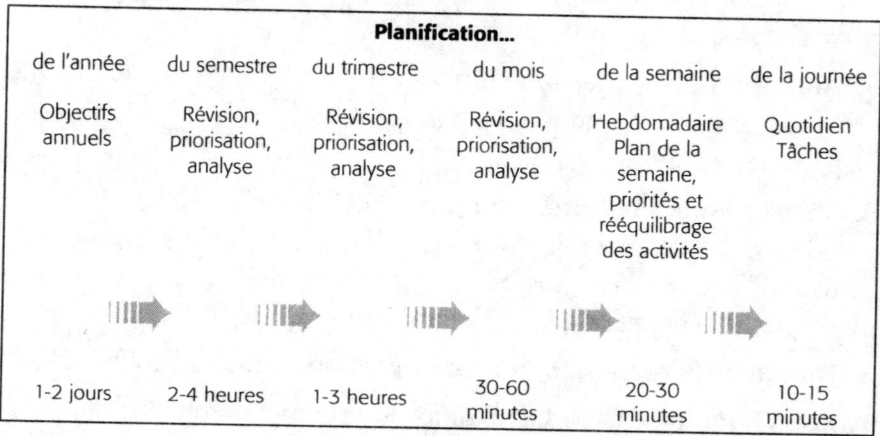

Bien sûr, un plan est fait pour être mis à jour. On représente souvent la planification sous la forme d'une boucle en raison des révisions. En outre, celle-ci doit être aussi fine que possible, comme ma méthode encourage à le faire.

Les bénéfices de la planification

Les effets positifs d'une bonne planification sont nombreux comme cette énumération vous en convaincra. La planification vous aidera à :

1. **Établir vos priorités et choisir.** Les moments consacrés à la planification sont des moments de réflexion qui vous donnent l'occasion de mesurer l'importance et la valeur ajoutée de vos tâches ainsi que de faire des choix qui ne sont pas uniquement dictés par l'urgence.

2. **Implanter vos stratégies d'exécution.** C'est au moment de planifier le moyen et le court terme que vous regrouperez vos tâches de même nature, que vous fixerez des rendez-vous avec vous-même afin d'effectuer certaines tâches ou certains projets, que vous répartirez le travail à accomplir selon votre cycle d'énergie et

les horaires des gens avec lesquels vous collaborez, que vous évaluerez quels sont les meilleurs moments de la journée pour faire vos appels, etc.

3. **Atteindre plus sûrement vos objectifs.** Sans une bonne planification, comment pourriez-vous gérer vos buts à long terme et vous organiser pour les atteindre ?

4. **Anticiper**, voir à plus long terme, vous former une image globale du travail qui vous attend. La planification permet de prévoir et de gérer les risques.

5. **Ne pas vous précipiter dans l'action et ne gérer que les urgences.** La planification vous permettra de réagir avec justesse devant l'inattendu. Sans quoi, vous précipiter dans l'action vous empêchera de distinguer l'essentiel du superflu.

6. **Diminuer le temps de prise de décision entre vos tâches.**

7. **Vous libérer l'esprit.** La planification permet de ne plus penser à « ce que j'ai à faire », mais plutôt de penser à « ce que je fais, au moment où je le fais ».

8. **Négocier votre emploi du temps.** La gestion du temps est une constante négociation. Bien sûr, vous négociez l'emploi de votre temps avec votre entourage de travail, patrons ou collègues, avec l'extérieur, clients ou fournisseurs, mais aussi avec vous-même. Plus vous serez organisé, moins vous serez vulnérable.

9. **Éviter les surcharges de travail.** À force de dresser chaque jour votre plan d'action et d'énumérer les tâches que vous voulez accomplir, vous en viendrez à mieux connaître le temps requis pour accomplir chacune d'elles, à mieux évaluer la durée de celles-ci et à être réaliste.

10. **Éviter la procrastination.** Une bonne planification, c'est un plan sur lequel les tâches à exécuter sont inscrites. C'est une sorte d'engagement pris envers vous-même qui augmentera votre besoin de respecter les décisions que vous avez prises.

11. **Éviter la dispersion.** On sait que la dispersion est la principale cause de l'insatisfaction chronique que ressentent beaucoup de

gens à la fin d'une journée de travail. Votre planification vous incitera à faire ce qui est écrit sur votre plan. De ce fait, vos journées seront mieux remplies et elles vous procureront un sentiment accru d'accomplissement et de bien-être.

12. **Atténuer la tendance au perfectionnisme.** Sans un plan, certaines personnes accorderont tout le temps nécessaire pour qu'un travail soit parfait. Si c'est votre cas, votre tendance au perfectionnisme s'atténuera d'elle-même en planifiant et vous parviendrez graduellement à accorder aux tâches des durées proportionnelles à leur importance et à leur valeur.

Faites le bilan de votre journée

On entend parfois les gens dire qu'ils n'ont pas réussi à accomplir, pendant leur journée, une seule des tâches qu'ils avaient planifiées. Et cela se répète jour après jour.

Il peut arriver, à l'occasion, que vous ne puissiez aucunement, ou presque, respecter votre planification. Mais si la situation se répète de jour en jour, ce n'est plus normal. Cela revient à prétendre que tout ce qui est nouveau est plus important que ce qui est ancien !

Il faut toutefois éviter de vous culpabiliser ; profitez-en plutôt pour apprendre et pour vous améliorer. S'il vous arrive trop souvent de ne pas pouvoir respecter votre planification quotidienne, reprenez votre plan à la fin de la journée et demandez-vous :

a) Mon plan était-il réaliste ?
b) Qu'est-ce que j'ai fait à la place de ce que j'avais planifié de faire ?
c) Est-ce que j'ai fait les bons choix tout au long de la journée ?
d) Est-ce que j'étais obligé d'agir ainsi ?
e) Qu'est-ce que j'aurais dû faire autrement ?

Si vous ne vous souvenez plus de ce que vous avez fait durant la journée, vous pourriez tenir pendant quelques jours un registre des imprévus qui surviennent ou des tâches que vous accomplissez. Ce journal vous éclairera sur votre réel emploi du temps.

Tenir un journal d'activités peut également vous aider à prendre du recul par rapport à vos fonctions ou à votre façon de travailler et à poser un diagnostic. Il peut aussi servir d'outil de communication et d'analyse pour entamer une discussion avec votre supérieur. Ce serait cependant une perte de temps de tenir en permanence un tel journal. Il s'agit de faire un échantillonnage afin de pouvoir s'améliorer. Deux semaines de documentation assidue devraient suffire. Le logiciel Time Doctor est un excellent outil pour faire cet exercice.

***

Plusieurs des conseils qui suivent proviennent de chapitres précédents. Pourquoi ? Parce que c'est par la planification que plusieurs s'actualisent le mieux.

✓ Fixez-vous des objectifs d'entreprise ou professionnels.
✓ Créez des projets pour atteindre vos objectifs.
✓ Planifiez vos activités en fonction de ces objectifs.
✓ Traitez la planification à long terme comme un projet en soi : planifiez-la.
✓ Sélectionnez vos projets en fonction du rendement escompté et de votre capacité à les réaliser.
✓ Révisez régulièrement votre planification.
✓ Faites votre planification hebdomadaire et inscrivez cette activité à votre agenda.
✓ Lorsque vous faites votre planification, privilégiez les activités à forte valeur ajoutée.
✓ Faites de la planification quotidienne une priorité.
✓ Servez-vous de votre planification pour mieux négocier.
✓ Pensez à regrouper vos tâches de même nature.
✓ Bloquez des plages de temps dans votre agenda pour vous acquitter de certaines tâches, blocs de tâches ou projets.
✓ Tenez compte de vos cycles d'énergie dans votre planification.
✓ Planifiez de façon réaliste.
✓ Faites occasionnellement le bilan de votre journée.
✓ Tenez occasionnellement un journal de vos activités, autoévaluez-vous.

30

Conclusion

Travaillons-nous plus aujourd'hui qu'il y a 30 ou 40 ans? Ou, plutôt, accomplissons-nous davantage? J'entends parfois dire que nous sommes plus occupés, mais que nous n'accomplissons pas vraiment plus. Pour ma part, je crois que nous accomplissons davantage et en moins de temps, ce sont là les exigences du 21e siècle.

Peu importe ce que nous pensons à propos de notre réelle productivité, je suis convaincu que nous évoluons aujourd'hui dans un monde plus complexe et exigeant. Nous vivons dans un monde où le changement et la variété sont devenus les ingrédients du quotidien et où la quantité de tâches à accomplir augmente constamment. Nous devons être de plus en plus polyvalents et maîtriser un grand nombre d'habiletés, informatiques et autres. Nous sommes submergés par les télécommunications et les attentes sont de plus en plus élevées.

Dans ce contexte, il n'y a qu'une seule réponse: développer ses compétences en gestion du temps. Je dirais même que c'est une question de survie!

La gestion du temps est aujourd'hui devenue l'affaire de tous. Il est bien fini le temps, pour caricaturer, où les cadres pouvaient se fier à leur adjointe pour gérer l'ensemble de leur agenda. Aujourd'hui, chacun doit, à son niveau, être autonome dans la gestion de son temps. Le rôle des cadres est également beaucoup plus exigeant. Ils doivent notamment être beaucoup plus actifs du côté de la gestion du personnel, s'investir davantage en planification stratégique, générer et gérer des projets, etc. Les cadres et les dirigeants doivent, à mon avis, inculquer à leurs équipes une culture de la gestion du temps. Il en va, comme le disait Peter Drucker, de la bonne marche de l'organisation, car le temps est la matière première.

Je suis encore étonné de constater que dans plusieurs entreprises la gestion du temps est considérée par la direction comme une affaire totalement personnelle et individuelle, comme s'il s'agissait du choix de la couleur des chemises dans les classeurs personnels. Selon moi, les entreprises doivent développer une façon de faire commune, basée sur certains principes uniformes et reconnus par tous. Et cela peut se faire sans imposer un carcan à tout le monde. La qualité de vie au travail n'en sera que meilleure.

Je viens de mentionner la qualité de vie au travail, ce qui m'amène à vous poser cette question: *Quel devrait être l'objectif le plus important pour chaque individu à la fin de chacune de ses journées de travail?* Être satisfait, bien sûr! L'efficacité ou la productivité suivront d'elles-mêmes. Être plus satisfait de vos journées de travail doit réellement être l'objectif fondamental de la démarche que je vous propose, car l'efficacité ne peut être une fin en soi dans le monde dans lequel nous vivons.

Être maître de son temps, voici ce qui compte le plus pour moi. C'est d'ailleurs pourquoi la mission de mon entreprise, Formations Qualitemps, est *d'offrir des solutions tangibles et applicables pour plus d'efficience et de bien-être.*

Maintenant que vous avez terminé la lecture de cet ouvrage, quel est votre sentiment? Peut-être constatez-vous que vous appliquiez déjà plusieurs de ces techniques et que vous pourrez facilement les consolider. Si c'est le cas, je vous propose ce modèle de préparation de plan d'action:

- Prenez une feuille de papier ou ouvrez un fichier Word, disposez la page horizontalement (en orientation paysage).
- Tracez trois colonnes.
- Inscrivez au sommet de la première colonne: **Qu'est-ce que je fais déjà bien?**, de la deuxième: **Qu'est-ce que je ne veux plus faire?** et de la troisième: **Qu'est-ce que je veux améliorer?**

- Dressez maintenant votre plan d'action à partir de vos réponses à ces trois questions. C'est une très bonne façon de faire le point après une formation.

Cependant, peut-être avez-vous l'impression que la barre est haute ou que vous ne trouverez jamais le temps pour y arriver. Si c'est le cas, je vous assure que ça en vaut la peine. Formations Qualitemps et l'équipe de formateurs qui la constitue ont donné des cours en gestion du temps à des milliers d'individus et les témoignages positifs se multiplient.

Voici donc, pour terminer, le plan d'action que je vous propose.

Premièrement :

- Choisissez l'outil de gestion du temps qui sera dorénavant le seul et unique que vous utiliserez.
- Effectuez un premier tri.
- Consignez toutes vos tâches et tous vos projets en intégrant la méthode Qualitemps.
- Commencez immédiatement à orienter vos priorités sur la valeur des tâches et non leur degré d'urgence, et n'oubliez pas de planifier aussi vos tâches et activités à haut rendement.

Vous constaterez que vous venez de faire un grand pas dont les bénéfices se feront rapidement sentir. Non seulement vous gagnerez du temps, mais vous vous sentirez également davantage en contrôle.

Ensuite :

- Appliquez ou consolidez une à une les 14 habiletés, ou certaines d'entre elles, décrites dans la deuxième partie du livre. Allez-y progressivement et à votre rythme. Les gains que vous retirerez au fur et à mesure devraient vous motiver à continuer à aller de l'avant.

Et dorénavant :

- N'oubliez pas de planifier. Gardez-en l'habitude. Planifiez le long, le moyen et le court terme. Le long terme dépend bien sûr du poste que vous occupez, alors que le moyen et le court terme sont universels.

- Et surtout, n'oubliez pas d'établir vos priorités selon la valeur des tâches et la raison d'être de votre poste dans l'entreprise. Servez-vous à l'occasion de la grille d'Eisenhower comme base de réflexion.

En observant vos résultats dans quelques mois, vous vous demanderez comment vous faisiez pour fonctionner autrefois !

Pour plus d'efficacité et de bien-être au travail

Tant que vous souffrirez du manque de temps, vous ne pourrez pas vous donner une vie de qualité, même en augmentant votre niveau de vie.

Les conséquences d'un rythme de vie effréné sont graves : inefficacité, erreurs sérieuses, découragement, fatigue chronique, absentéisme, etc. Il est donc impérieux d'apprendre à maîtriser votre temps. Vous ne pouvez freiner à vous seul l'accélération générale, mais vous pouvez toutefois prendre les moyens pour vous donner une meilleure qualité de vie.

La gestion du temps est la seule façon de vous adapter au monde d'aujourd'hui. C'est une discipline à acquérir et dont vous pourriez ressentir les effets positifs dans toutes les sphères de votre vie : le travail, la famille, les relations... et en vous.

Il ne me reste maintenant plus qu'à vous souhaiter une bonne maîtrise de votre temps...

Prendre le temps de vivre, c'est faire la part entre l'essentiel et l'accessoire. C'est gagner du temps sur l'accessoire pour donner du temps à l'essentiel.

Pierre Dufourmantelle

Table des matières

DEUXIÈME PARTIE

Techniques pour maximiser l'utilisation de votre temps

TROISIÈME PARTIE

Prioriser, ou comment faire les bonnes choses

M
MARQUIS
Québec, Canada